MW00984068

LA TRADUCCIÓN DEL
INGLÉS AL CASTELLANO

© 1990, MARINA ORELLANA
Inscripción N° 66.022, Santiago de Chile.

Derechos de edición reservados para todos los países por
© EDITORIAL UNIVERSITARIA, S.A.
María Luisa Santander 0447,
Santiago de Chile.

editor@universitaria.cl

ISBN 956-11-1123-3

Texto compuesto en tipografía *Univers 55 10/11*

Se terminó de imprimir esta
TERCERA EDICIÓN
de 1.000 ejemplares,
en   Salesianos Impresores S. A.
General Gana 1486, Santiago de Chile,
en abril de 2008.

CUBIERTA
Diseño de *Keiko Hombo.*

8ª reimpresión de la Tercera edición , 2005.

www.universitaria.cl

IMPRESO EN CHILE / PRINTED IN CHILE

LA TRADUCCIÓN
DEL INGLÉS AL CASTELLANO

GUÍA PARA EL TRADUCTOR

Marina Orellana

EDITORIAL UNIVERSITARIA

ÍNDICE

PARTE III

PARTE IV

PREFACIO

Sin calificarla de ciencia o de arte, empezaremos por señalar que la traducción es un ejercicio intelectual que tiene por objeto verter ideas de una lengua a otra en un idioma preciso, correcto y apropiado. Es también un oficio que se ha practicado en todo tiempo y lugar y que, a partir de la Sociedad de las Naciones y más recientemente de las Naciones Unidas, se ha convertido en una profesión de cierta categoría y prestigio en un mundo donde el diálogo nacional e internacional es cada vez más frecuente y necesario.

Hace unos decenios los funcionarios de impuestos internos, del Ministerio de Hacienda, u otras autoridades de Chile, que debían refrendar la documentación para salir del país, mostraban extrañeza ante la respuesta que oían a la pregunta que hacían: —¿Profesión?— Traductora. Tal profesión no existía para ellos; era desconocida. Los años han afianzado esta actividad, al igual que otras relativamente nuevas como interpretación, relaciones públicas, informática, computación, etc.

Por haberme dedicado con entusiasmo, rayano casi en el apasionamiento, a dicha profesión desde que al término de mi educación formal ingresé en la Sección de Traducciones (Naciones Unidas), en Nueva York (Estados Unidos de América), he ido profundizando en ella y descubriendo algunos preceptos útiles para el traductor que aún no ha pensado en ellos o para quien aspire a entregarse a dicho oficio.

En realidad, escasean los textos, tratados o manuales sobre esta actividad, aunque los intentos no han faltado. La mayoría de los libros se refieren a la teoría más que a la práctica de la traducción. Han sido escritos principalmente por lingüísticos o académicos que no se dedican al oficio. En consecuencia, son de muy poco valor práctico para el traductor. No le ayudan a resolver los problemas con que a diario se encuentra en su tarea.

La mayoría de los traductores son autodidactas. Muchas veces no encuentran a quién recurrir en busca de orientación; aprenden a traducir traduciendo y no siempre la persona que traduce se da cuenta de los aspectos que podría modificar o mejorar.

Sin embargo, por el prestigio y la importancia de que goza la traducción y por haberse reconocido su necesidad, hoy día se ofrecen cursos o seminarios sobre el ramo en institutos, centros y establecimientos docentes. Nos referiremos a estos cursos más adelante.

En la "bella época" de los organismos internacionales existía junto al traductor principiante (**translator-trainee**) "el revisor" (**reviser**) quien, además de examinar con espíritu crítico el texto traducido por un traductor que se iniciaba en la carrera, o que desconocía la especialidad a que el texto se refería, le guiaba en cierto modo en el manejo del idioma apropiado, le indicaba errores y hasta le sugería libros de buenos autores de la lengua como modelos de estilo y redacción. Esto ya no se hace en general. No sólo representaba un gasto adicional el que la traducción pasara de un traductor a un revisor, sino que con el tiempo han ido desapareciendo los estilistas (en su mayoría españoles) o los buenos redactores dedicados de lleno al oficio, aunque no faltan quienes lleven su antorcha. Mucho aprendí de aquellos en mis primeros años.

Después de esa "bella época", los traductores de los organismos internacionales han debido aprender por sí solos, por imitación o estudio, ya que es muy escasa la orientación que reciben: los revisores ya no disponen del tiempo necesario para hacer de tutores y su proporción por traductor es ahora menor que antes.

En el curso de los años, y más aún en aquéllos en que estuve a cargo del Servicio de Traducción en uno de los organismos de Naciones Unidas, los aspirantes a traductor me preguntaban con frecuencia: ¿Qué se necesita para ser traductor? ¿Cómo puedo mejorar mis traducciones? A estas preguntas habría que agregar otras: ¿Puede enseñarse la traducción? ¿Qué puede enseñarse de este oficio?

Responder a estas interrogantes y, en lo posible, ilustrar con ejemplos mi propia respuesta y mis observaciones constituye el objetivo del presente volumen, que es fruto de mi propia experiencia personal y, sobre todo, de la adquirida en los organismos internacionales con los que he trabajado principalmente. Espero que sirva de guía práctica a más de un traductor.

Diremos, en síntesis, que el buen traductor debe ser capaz de:

1. Entender los conceptos del texto original. Por lo tanto, debe poseer amplios conocimientos generales. Si no entiende dichos conceptos no comprenderá lo que va a traducir y, en consecuencia, no podrá verterlos al castellano.
2. Manejar bien el vocabulario de que se trata en su propio idioma o en el idioma al cual traduce, ya sea sobre un tema financiero, económico, educativo, etc.
3. Escribir bien en su propio idioma. De lo contrario, corre el riesgo de producir un texto que reproduzca

fielmente el contenido del original del que ha traducido, pero que no es apropiado a la materia en cuestión o al tipo de documento que se está traduciendo.

Estos tres aspectos que identifican al buen traductor conforman esta guía, dividida en las tres partes correspondientes: Traducción, Vocabulario y Redacción. Se complementan con una cuarta parte en la que se abordan aspectos esenciales de la formación del traductor. Se cierra el texto con una nota final.

Se han agregado cuatro apéndices en los cuales se presenta una traducción comentada, una revisión comentada, ejemplos de redacción y de traducción.

No es el propósito enseñar inglés ni gramática del idioma castellano. Se da por sentado que la persona que va a ser traductor ya sabe bastante bien dicho idioma y el propio y que, en todo caso, se esforzará por ir conociendo, ampliando y mejorando ambos. La finalidad de esta guía es más bien señalar a la atención del traductor algunos de los problemas que encontrará en su camino; es decir, orientarlo en el aspecto práctico más que en el teórico de la traducción y, sobre todo, respecto a los trucos[1] del oficio. Habrá logrado su propósito si contribuye a precisar lo que es traducción, lo que puede o no enseñarse y cómo seguir perfeccionándose en esta mal entendida y apasionante actividad.

[1]**Truco**: este vocablo se asimila con frecuencia a juego de manos, "apariencia engañosa hecha con arte". A pesar de este sentido peyorativo, sigue usándose para designar ardides, estratagemas que permiten resolver un problema. En realidad, hay dos vocablos que traducen mejor este tipo de soluciones: **triquiñuela** (rodeo, efugio, artería) y **efugio** (salida, recurso para sortear una dificultad). Sin embargo, ninguno de ellos logra desplazarlo.

Por casualidad, divisé en una biblioteca santiaguina un **Diccionario Ilustrado de Trucos**. Bajo este título se leía (Fabricaciones, fraudes, trampas, juegos y artimañas), paréntesis que explica bien el significado del término. Su autor es Jean-Louis Chardaus.

PARTE I

LA TRADUCCION

TRADUCCION

Traducción es la fiel transferencia de ideas de un idioma (**original** o **source language**) a otro al cual se traduce (o **target language**) en un estilo correcto, preciso y apropiado. Y, en lo posible, conciso.

Si bien el presente estudio versará de preferencia sobre la traducción del inglés al castellano, muchas de las observaciones que formulemos al respecto serán válidas para la traducción en otros idiomas.

Hemos de considerar de partida que ambos idiomas son diferentes, aunque arranquen de un mismo tronco lingüístico o tengan aspectos en común.

La **fidelidad** en la transferencia de ideas significa que no se ha de decir ni más ni menos que lo que se dice en el texto original. Es deber profesional y moral del traductor ser fiel a ese original o reflejar lo más exactamente posible el contenido del mismo.

Las **ideas** se expresan con palabras, frases, modismos, giros, locuciones, figuras literarias, todos los recursos lingüísticos a disposición del traductor, o sea vocabulario.

La expresión atinada de las ideas —el fondo del texto— requiere cierto ordenamiento y es en este aspecto donde interviene la **redacción** —la forma que se les dé al traducirlas.

De la definición que hemos dado de traducción se infieren dos principios fundamentales:

1. lo que se transfieren son ideas y no palabras, y

2. la lengua a la cual se traduce tiene importancia y es quizá más importante que el idioma del cual se traduce.

La concisión puede ser un atributo secundario de la buena traducción, pero es una preocupación que interesa más al castellano que al inglés, como lo señalamos más adelante.

La traducción de proverbios y de modismos demuestra claramente que son las ideas y no las palabras las que se transfieren de una lengua a otra. Del proverbio inglés **To have one's cake and eat it**, que tiene varias versiones en castellano, mencionaremos sólo dos: "Comer pan y pedazo", "Repicar y andar en la procesión". Incluso el sencillo proverbio **Time is money** es en castellano "El tiempo es oro" y no "Tiempo es dinero".

Modismo[1] es una frase o manera de hablar propia o característica de una lengua. Ejemplos conocidos son "**tomar las de Villadiego**" por marcharse y "**no dar pie con bola**" por "estar desacertado". Algunos modismos en inglés:

> **to mince matters**: andar con rodeos
> **to be sick and tired**: estar harto (y no "estar enfermo y cansado de algo")

En la frase siguiente se ha subrayado el modismo:

> **The President seems certain to stick to his guns.**
> Parece un hecho que el Presidente **se mantendrá firme**.

Respaldan el segundo principio mencionado, acerca de la mayor importancia del idioma al cual se traduce, los

---

[1] Modismo —descubro no sin sorpresa— es sinónimo de "idiotismo".

comentarios siguientes que más de una vez hemos oído:
"La traducción no está mal, pero el castellano deja mucho que desear" o "Todo está adentro, pero eso no es inglés". Lo prueba también el hecho de que una página o un párrafo traducido por A y B pueda dar dos versiones distintas, una de mejor calidad que la otra. La traducción aceptable será aquélla en que fondo y forma configuren un todo fiel, apropiado y correctamente expresado.

Veamos la traducción del párrafo siguiente, bastante fácil, tomado de un artículo sobre los objetivos principales de los tramos ferroviarios internacionales:

> **Regrettably, after major efforts to provide suitable physical infrastructure to achieve the purposes set out above, two fundamental errors were committed in the administration of sections, which often made it impossible to obtain the hoped for benefits.**

Tal como está redactado este párrafo parecería que **to provide** y **to achieve** fueran dos objetivos de los **efforts** pues en inglés debería haberse dicho "... **suitable ... for achieving...**" Como ambos infinitivos no van enlazados por la conjunción **and**, hemos de interpretar que el objetivo es uno solamente.

Primera versión:

> Lamentablemente, después de esfuerzos mayores para proveer infraestructura física adecuada para alcanzar los propósitos arriba establecidos, dos errores fundamentales fueron cometidos en la administración de las secciones, que a menudo hicieron imposible obtener los beneficios esperados.

Segunda versión:

> Lamentablemente, después de importantes gestiones

para conseguir una infraestructura física conveniente que permita alcanzar los objetivos antes enunciados, se cometieron dos errores fundamentales en la administración de los tramos, los cuales a menudo impidieron obtener los beneficios esperados.

No cabe duda de que la segunda versión es de mejor calidad. En la primera versión el traductor se ha limitado a traducir casi palabra por palabra, pero no ha puesto mucho de su parte para pulir su texto ni se ha preocupado del vocabulario, repetición de palabras (preposición "para"), posición del verbo; el adjetivo **major** se ha traducido erróneamente por "mayor".

En general, se ha concedido más atención al **contenido** o fondo del texto del cual se traduce que a la **forma** que se le da al traducirlo. Hay, sin embargo, una relación estrecha entre ambos. Y ya lo decía G. Flaubert: "La forma sale del fondo como el calor del fuego".

Quienes insisten en el contenido en vez del contenido más forma (**no** contenido en oposición a la forma) están pensando principalmente en "traducciones para información", o sea documentos en un idioma extranjero que no comprende la persona que ha solicitado la traducción. A ella le interesa lo que el texto quiere decir. Este es el tipo de traducción en que trabaja la mayoría de los traductores independientes (**freelancers**). En los organismos internacionales la situación es muy distinta. La forma es tan importante como el contenido. Es probable que por lo menos la mitad, si no más, de la producción de un traductor sea publicada en alguna forma, ya sea como documento de referencia para una reunión, una resolución que deba ser aprobada por uno de los cuerpos directivos, un convenio que ha de ser incluido en la Serie de Tratados, o una publicación oficial de la organización de que se trate.

El texto original es importante puesto que constituye la substancia de la traducción, pero no lo es menos la redacción o expresión adecuada de ese texto y sólo desde el punto de vista analítico o crítico podríamos separar el contenido de la forma de una traducción.

El traductor traduce a su lengua materna que —se supone— conoce o maneja mejor. En todo caso, debiera conocerla bastante bien e ir profundizando en ella en la práctica de su oficio. A menudo, se encontrará con problemas gramaticales o sintácticos concretos para resolver los cuales deberá indagar en más de una fuente.

Habrá casos en que el traductor será llamado a verter a su idioma materno un pasaje o artículo con fines informativos únicamente. Si bien la transferencia de las ideas será lo esencial y él podrá hasta cierto punto desentenderse de la forma, el idioma al que recurra para expresar esas ideas deberá ser tan impecable como sea posible. Y con la práctica, lo logrará. Esto se advertirá incluso en el manejo de frases: ya no traducirá **in recent years** por "en años recientes" aunque le falte tiempo; escogerá casi automáticamente lo mejor: "en los últimos años". Tampoco forzará su idioma para acomodar frases difíciles, pues habrá aprendido a sacarles partido a las posibilidades que le ofrece.

Muchos traductores se contentan con reproducir fielmente el significado de lo que están traduciendo, pero descuidan la forma. Y por varios motivos: o piensan erróneamente que la redacción no interesa, o les cuesta enmarcar las ideas de un texto en inglés, por ejemplo, en su lengua materna el castellano, o no se esfuerzan lo suficientemente para lograrlo. El buen traductor debe prestar atención a ambos aspectos.

Cabría la pregunta de si se puede ser fiel a un texto deficiente en cuanto a su forma. Responderemos en forma negativa. Pero las más de las veces no se trata de traducir una obra maestra. En la traducción de un texto informativo, a diferencia de un texto literario, lo importante es la transferencia de ideas. En la traducción literaria, en cambio, el traductor se encuentra ante el desafío de tener que elevarse a la altura de esa obra de arte: si el texto es deficiente, el traductor tendrá que dedicarse a crear —apelar a su habilidad creadora cual un artista— para expresar las ideas, no las palabras, de esa obra. Podríamos formular la pregunta de otra manera: ¿Consiste la tarea del traductor en reproducir errores o en rehacer el texto ante sí? En respuesta diremos: 1) en el caso de una obra de arte, ha de hacer todo lo posible por acercarse a ella; 2) si no es una obra de arte, debe expresar las ideas que el texto contiene.

En los organismos internacionales la traducción es con frecuencia mejor que el original, pues los textos son escritos generalmente por personas que, si bien son especialistas en determinada materia, no se preocupan de expresar con claridad sus ideas por escrito o no han aprendido a hacerlo. Como los organismos internacionales utilizan un número limitado de idiomas de trabajo, gran parte de sus funcionarios —por ejemplo, los de Brasil, India, o Noruega— tienen que redactar en un idioma distinto de su lengua materna. Por otra parte, los documentos de una organización son la cara que ésta muestra al mundo y el traductor debiera en todo momento tener esto presente.

Algunas frases y textos pueden traducirse literalmente. Hasta es posible usar en ellos igual número de palabras y conservar el orden que tienen en el original.

Ejemplos:

There are ten books on the table.
Hay diez libros sobre la mesa.
Sobre la mesa hay diez libros.

The train leaves at 4:30 p.m. In the afternoon.
El tren sale a las 16:30 de la tarde.

Es posible, asimismo, traducir literalmente frases más largas o párrafos:

The maintenance of biological diversity is important for the functioning of natural systems, improvement of crops and livestock, development of new pharmaceuticals and other useful products, and for scientific and aesthetic reasons. Habitat destruction, especially in the tropics, is causing an historically unprecedented and accelerating loss of genetic resources and extinction of species, **the total cost of which** *is unquantifiable because the lost species and varieties are unknown to science.*

Este texto, algo técnico, no ofrece mayores dificultades:

El mantenimiento de la diversidad biológica es importante para el funcionamiento de los sistemas naturales, el mejoramiento de cultivos y del ganado, la fabricación de fármacos y otros productos útiles, como asimismo por motivos científicos y estéticos. La destrucción del hábitat, especialmente en los trópicos, está causando la pérdida históricamente sin precedente y cada vez más acelerada de recursos genéticos y la extinción de especies, el costo total de las cuales no puede cuantificarse porque las especies y variedades perdidas son desconocidas para la ciencia.

Llamamos la atención respecto a la frase del texto inglés **the total cost of which** y lo que sigue, que parece referirse sólo a las especies extinguidas. Sin embargo, antes se ha dicho **extinction of species**. ¿Tiene costo la extinción? ¿No hubiera sido más claro "el valor de las especies perdidas"?

En realidad, si los textos técnicos están bien redactados y se conoce el vocabulario pertinente, lo técnico resulta casi siempre más fácil de traducir que el texto general sencillo, confuso y mal redactado.

Pero no siempre el traductor podrá deslizarse placenteramente en primera velocidad. A veces tendrá que dilucidar la idea expresada y explicarla en sus propias palabras. En el ejemplo siguiente, aunque conozca todos los vocablos tal vez no pueda ir palabra por palabra:

> *All the remaining academic effort should, it was agreed, be devoted to the attainment of an acceptable overall level of course provision within the existing faculties.*

El sustantivo inglés **provision** permite en este caso el significado de "ofrecimiento"; la idea es ofrecer un nivel general aceptable de cursos. Pero ¿qué significa "un **nivel** general aceptable de cursos". El término está empleado con cierta vaguedad. A juzgar por el contexto se trata de "ofrecer un número suficiente de cursos"? Por **existing faculties** diríamos "facultades establecidas" u "ofrecidas", aunque este útimo verbo figura en la frase anterior. Si bien en inglés es corriente el uso del adjetivo "existente" en castellano no parece atinado. Por cierto, que no se podrán ofrecer cursos dentro de facultades "inexistentes"; podría referirse a facultades actuales.

No sería apropiado traducir **to the attainment of an acceptable general level of course provision for** "al logro de un nivel general aceptable de provisión de cursos".

Resulta en castellano una jerga tan poco castiza como el texto inglés que es confuso. ¿Cuál es la idea detrás de esta palabrería? El texto siguiente parece reflejar lo que se quiso expresar:

> Se convino en (se acordó) que todo el esfuerzo académico (toda la labor académica) restante se dedicaría a ofrecer en conjunto un número aceptable de cursos dentro de las facultades actuales.

Veamos otra frase:

> *The target figure of about seventy full credit [2] equivalent undergraduate courses, envisaged for 1976 in the first triennial submission, was reaffirmed as the minimum for a serious degree-awarding institution.*

Y su posible traducción:

> La cifra tope de unos 70 cursos del pregrado con equivalencia de crédito académico[2] regular, prevista para 1976 en la programación propuesta para el primer trienio, fue confirmada como el mínimo que podía ofrecer una institución seria que concede diplomas.

Al traducir, lo importante es, primero, captar la idea tratando de acercarse lo más posible al texto original. En consecuencia, el traductor no ha de inventar ni interpretar, sino atenerse al texto del cual traduce, tarea que no siempre es fácil. A veces habrá que trabajar un texto hasta encontrar la palabra o frase que calce, o hasta verter en toda su plenitud el sentido que encierra el idioma original. En algunos casos, habrá que encontrar,

---

[2] **credit courses**: "cursos con valor académico"; se está diciendo también "cursos con crédito".

como decía John Ruskin, "la magia de la palabra exacta", y también de la frase.

En segundo lugar, una vez que se han captado las ideas, corresponderá expresarlas en la forma más adecuada, o en la que más convenga, sin dejarse contaminar por el idioma original ni forzarlo. En esta labor de adaptación habrá que mantener los dos idiomas separados porque, en realidad, son distintos. Sólo así se evitará el riesgo de dejarse llevar por lo más fácil, es decir de sacar provecho de la semejanza física entre palabras del inglés y del castellano, por ejemplo, al traducir de aquel idioma a éste. Puede haber, por cierto, puntos de contacto entre ellos. Ya hemos indicado cómo, a veces, es posible traducir literalmente frases empleando igual número de palabras y manteniendo el mismo o casi el mismo orden de éstas. Hay también vocablos que se asemejan por su etimología, como **debate** (inglés) y "debate" (castellano); **conversation** (inglés) y conversación (castellano). Pero hay otros, los "falsos amigos" —a los que dedicamos una sección— que, a pesar de su parecido externo, tienen un significado muy diferente y pueden hacernos dar zancadillas. Por ejemplo, **consistent** (inglés) no es "consistente" en castellano, sino "consecuente", "compatible", "sistemático", "metódico", "coherente", etc.

Parecerá tal vez de perogrullo subrayar la importancia de la brevedad o concisión. Pero la tiene no sólo en la traducción, sino en la expresión oral y escrita; a menudo, nos olvidamos de ello. Es ese tan venerado y recomendado don de síntesis: la tendencia a preferir lo más breve a lo más extenso. En la traducción hay un motivo adicional para insistir en la concisión: en los organismos internacionales especialmente, muchos de los documentos oficiales se publican en más de un idioma o en todos los llamados "idiomas de trabajo". Por consiguiente, la longitud del documento interesa, pues no sería procedente que el texto en un idioma (inglés) tuviera 50 páginas y que la traducción (al castellano) ocupara 100 páginas.

Se ha dicho que la traducción consiste en **re-crear**, volver a crear el texto original. No me parece una caracterización exacta. Parafraseando esta definición, diría más bien que consiste en **re-expresar** o volver a expresar el texto, y al transferirlo a otro idioma **crear** en éste la trama lingüística adecuada a ese texto y al idioma al que se ha vertido ese contenido original. En otras palabras, el traductor no vuelve a crear un texto: debe respetarlo, captar las ideas en todos sus detalles y matices y verterlo a otra lengua con estricta fidelidad al original. No tiene libertad para modificarlo ni alterarlo. Algo de libertad tiene al crear en su propio idioma la estructura en la que esas ideas encajen tan exactamente como sea posible[3]. Su talento creativo lo demostrará al acomodar el fondo —la sustancia del original— a la forma que ha de dar a ese fondo conforme a las normas propias del idioma al que se vierte todo aquello.

En esta transferencia de ideas de un idioma a otro, que es la traducción, algo se pierde a veces y por diversos motivos: porque los vocablos y verbos son más compactamente ricos en significado en inglés que en castellano y en su traducción no todo se traspasa, por reflejar el idioma de un pueblo conceptos, nociones y actitudes que le son propias. Es decir, las palabras no sólo denotan algo, sino que además connotan algo. Por ejemplo, **to snap** significa, entre sus muchas acepciones, "cerrar de golpe". Sin embargo, habrá frases en que tendremos que buscar el verbo que más se le asemeje

---

[3]Véase sección sobre **Libertad del traductor**, pág. 284.

para salir del paso ya que no lograremos dar el matiz del inglés:

He snapped on his parka.
Se abrochó su parka.

The nation is struggling through an era in which social policy is confronted with the ever-increasing use of computers.

La frase **struggling through** es ejemplo magnífico de concisión del idioma inglés. La forma verbal **struggling**, más la preposición **through** (a través de), da la idea de "estar pasando con lucha", es decir, "no sin dificultadad" por una época, o entrando penosamente en ella. La traducción sugerida parece indicar estas ideas:

El país está entrando penosamente en una época en que la política social hace frente al uso cada vez mayor de las computadoras.

Con todo, no es imposible, respetando las características de cada lengua, el nivel lingüístico que proceda y las ideas que deban transferirse, traducir éstas con acierto, cordura y refinamiento.

En las páginas siguientes, el lector encontrará ejemplos de traducción en armonía con este enfoque práctico que hemos querido darle al presente volumen.

En el Apéndice 1 se presenta una traducción comentada del inglés al castellano.

LO QUE LA TRADUCCION NO ES

La traducción no es transliteración, es decir, la transcripción de palabras de un idioma a otro. Por ejemplo, el libro de Benjamín Subercaseaux titulado **Chile: una loca geografía** fue traducido con acierto al inglés con el título de **Chile: a geographic extravaganza** y no como *"Chile: a crazy geography"* o algo por el estilo.

En otros términos, comprender el significado de las palabras no tiene mucho que ver con traducción. Lo importante es captar las ideas y expresarlas en forma satisfactoria.

He conocido personas que se interesaban en traducir del inglés al castellano y que, con gran aplomo, no sólo me aseguraban que podían traducir, sino que agregaban: "El inglés no tiene secretos para mí". Yo demostraba mi asombro ante esta afirmación diciendo al candidato: "Es usted muy osado u osada, pues ni yo con mis años, mi experiencia y dedicación puedo decir lo mismo". ¿Y el castellano? ¿Y la redacción? A estas preguntas de mi parte se me contestaba "No sé, creo que están bien".

El examen a que debían someterse revelaba, a veces, otra cosa: o traducían palabra por palabra, o desconocían las reglas básicas de la buena redacción. Esto demuestra, en cierto modo, que la traducción se identifica, en la mente de muchos, con el conocimiento de palabras o la búsqueda de equivalencias entre idiomas. Muy a menudo lo que pasa por traducción es traducción de palabras.

Viene al caso mencionar las observaciones de que ha sido objeto la traducción del castellano al inglés y al francés de un Directorio de Exportadores que sería distribuido a varios países. El comentarista en carta dirigida al Director de un periódico señala que en dicho documento se ha traducido "sanidad ambiental" por **sanité de l'environment** en francés y por **ambiental sanity** en inglés. Hace notar que la palabra **sanité** no existe en francés y que **sanity** en inglés significa estar psíquicamente sano y nada más. Esta terminología, propia del sector salud, es conocida —o debiera serlo— por los traductores en general; en francés **l'hygiène du milieu** y en inglés **environmental health**.

Este ejemplo parecería reflejar la atracción enorme que ejerce la traducción en el ánimo de muchos: llega a tal punto que algunos se atreven a traducir a otras lenguas que la materna (la conozcan bien o no) y, más aún, sin siquiera hacerse asesorar por alguien que pueda auxiliarles en tal empresa. Esto revela una seguridad bastante insegura.

La habilidad o capacidad para transferir con corrección, sobriedad y precisión las ideas de un idioma a otro es algo distinto, más importante y más serio.

La traducción tampoco es "escribir en un idioma florido" (como se ha llegado a decir), ni dar vuelta las frases a voluntad para que se parezcan lo menos posible al idioma original. La forma que se dé al texto que se traduce debe fluir de manera natural de su contenido.

Traducir, hemos señalado, consiste en transferir fielmente ideas de un idioma a otro en un estilo preciso, correcto y apropiado. En consecuencia, traducir no es interpretar. Interpretar es, en general, explicar el sentido de algo, especialmente de textos faltos de claridad, aunque también significa traducir oralmente de una lengua a otra. Ejemplo de interpretación en traducción:

The study needs to be improved.
El estudio debe ser alargado.

La versión en castellano no refleja el texto inglés. En este idioma sólo se dice que el estudio "necesita ser mejorado". No sabemos de qué defecto adolece. Al traducir **needs to be improved** por "...debe ser alargado" estamos interpretando o inventando. Puede ser que el estudio sea corto o muy superficial, o demasiado detallado, etc. Lo único que se nos dice es que "debe ser mejorado" y en consecuencia la única traducción fiel de ese texto es:

El estudio debe ser mejorado.

Otro ejemplo: **India, land of privation.** Vi una vez esta frase traducida por "India, país donde falta lo necesario para subsistir", en lugar de "India, tierra de privaciones". Cualquier habitante de la India podría refutar la afirmación de que en ese país "falta lo necesario para subsistir", alegando que, a pesar de las privaciones, cuenta con lo indispensable para subsistir. Es una traducción que podría incluso crear conflicto.

Under such agreements, the exporting country agrees to restrict to specified levels exports which are causing or threatening to cause serious injury.

Bajo tales acuerdos, el país exportador está de acuerdo en restringir a niveles especificados las exportaciones que estén causando o amenacen causar serios daños.

Esto es lo que a menudo pasa por traducción y se acepta como tal. Se procura mantener invariable la estructura del idioma inglés y asimilar a la fuerza ambos idiomas prescindiéndose del hecho de que son distintos y se rigen por principios también diferentes. Una mejor versión sería la siguiente:

> En virtud de tales acuerdos, el país exportador conviene en restringir a niveles especificados las exportaciones que estén causando o amenacen causar graves daños.

¿QUE SE REQUIERE PARA SER TRADUCTOR?

Se han determinado con bastante detalle los conocimientos, las aptitudes y las habilidades que se requieren para desempeñar una profesión o seguir una carrera, ya se trate de medicina, pedagogía, abogacía, enfermería, periodismo, andinismo, etc. Del mismo modo, es posible establecer un inventario de las cualidades que debe reunir el traductor para ejercer con eficacia su oficio. ¿Qué se requiere para ser traductor?

1.

En primer lugar, una **amplia cultura general** para comprender los textos que el traductor encare. Es indudable que el traductor "más leído", más informado y conocedor de distintas materias estará mejor preparado para hacer frente a su tarea. Por otra parte, sólo puede pedirse cultura general a quien haya vivido un buen número de años y se haya dedicado a "cultivarse", o esté interesado en aprender de todo un poco. Puede darse el caso de una "persona culta" o instruida que no posea el don de expresarse bien y que en redacción no esté a la altura de sus conocimientos. O el caso de una persona sin preparación universitaria o "cultural" que haga buenas traducciones o el de quien hable muy poco inglés, pero conozca y capte bien esa lengua y sepa expresarse.

Hay toda clase de combinaciones y, naturalmente, de excepciones, aunque pueda sostenerse que la adquisición de cultura es cuestión de edad. A este respecto, observamos una gran diferencia entre la primera generación de traductores y revisores que trabajaba en las Naciones Unidas en los albores de la Organización y las generaciones posteriores. En general, aquéllos tenían una profesión, experiencia y cultura; conocían bastante bien por lo menos el castellano, el inglés y el francés y manejaban la pluma con soltura. Muchos de los traductores que les siguieron, más jóvenes que ellos, sabían idiomas por haber residido en ambientes lingüísticos favorables o eran bilingües, pero no habían cursado estudios superiores ni tenían una profesión. Además, desconocían gran parte de las materias propias de los organismos internacionales.

La primera generación de traductores de las Naciones Unidas aprendió de otros, o por sí solos. En esos años, en el presupuesto de las Naciones Unidas para la Sección de Traducción se contemplaba el cargo de revisor (**reviser** o **reviewer**) y hasta se asignaba, teóricamente, cierto número de traductores a cada revisor.

El trabajo de un traductor principiante (**translator-trainee**) era examinado por un revisor, a veces el que mejor conocía el tema sobre el cual versaba el texto en referencia. Este cotejaba la traducción con el original para comprobar su fidelidad y la calidad del idioma utilizado. Si disponía de tiempo, el revisor señalaba al traductor los puntos débiles de su trabajo: si se había ceñido demasiado al inglés, si había usado el vocabulario de su país de origen en lugar de uno más general, o le indicaba otras posibles versiones de alguna frase complicada. El traductor que realmente tenía interés por aprender, o conocer la suerte de su traducción, perseguía su traducción desde que salía de sus manos para ver qué cambios había hecho el revisor en su texto, o podía dirigirse a éste con tal finalidad. Podía asimismo seguirle la pista a su traducción en el Servicio de Mecanografía (o Pool de Secretarias), donde era copiado en limpio antes de ser enviado a la sección de la Secretaría que lo había solicitado y donde a veces era también revisado. Así, el traductor iba aprendiendo poco a poco, refinando su propio idioma, percatándose de la terminología empleada, de la que era aceptada y no aceptada, o acumulando vocablos y expresiones para su labor futura.

Hoy día esta orientación se da muy raras veces. Los organismos internacionales en general disponen de menos personal debido a restricciones presupuestarias y, por tal motivo, han eliminado el cargo de revisor propiamente dicho. Muchos de estos organismos encuentran que resulta más económico enviar al exterior el texto que ha de traducirse, previo contrato con traductores ajenos al organismo de que se trate. Con este procedimiento —se argumenta— se ahorra dinero, aunque comúnmente se pierde en calidad pues los traductores independientes no siempre están familiarizados con el vocabulario, las manías y las preferencias de "la casa" y puede ser necesario revisar a fondo el texto recibido del exterior antes de imprimirlo. De modo que la economía que se esperaba obtener no ha sido tal o tan importante, ya que alguien ha debido dedicar tiempo a la revisión y, en ocasiones, ha sido preciso rehacer la traducción.

2.

Buen conocimiento de la lengua materna. No diré "perfecto dominio" que es lo que se solicita del candidato en algunos anuncios de solicitudes de empleo, pues esto ya es mucho pedir. Pero el aspirante a traductor debe conocer bien su lengua materna puesto que a ella deberá traducir. A menudo, el traductor al castellano conoce mejor el inglés que su lengua. En tal caso, puede suceder que le falte la naturalidad y soltura propias de quien la maneja con mayor conocimiento. Su inseguridad tal vez lo lleve a seguir de muy cerca el texto original y es posible que sus traducciones tengan más sabor a inglés que a castellano. Puede que el candidato haya vivido mucho tiempo en un ambiente de habla inglesa y haya descuidado su propio idioma, salvo en su trato diario con familiares y amigos. Su castellano estará entonces un poco "mohoso" por haber quedado relegado a segundo plano. Para actualizarlo tendrá que dedicarse con empeño a leer y a absorber lo que le falte, o a estudiar prestando especial atención a aquellos aspectos en que se sienta más débil. Mucho se aprende acerca del idioma materno en este oficio de la traducción, pues uno va descubriendo aspectos olvidados o no pensados y detectando lagunas, dudas y falsas nociones que se tenga y que pueden plantear problemas.

3.

En íntima relación con este requisito mencionaremos **la habilidad para redactar bien** que incluye la habilidad para redactar en varios estilos: Significa "escribir correctamente", con sujeción a las reglas gramaticales y sintácticas del idioma, cuidando de dar fluidez, variedad y concisión al texto y empleando con acierto sinónimos y giros propios del idioma. Como hemos señalado, el lenguaje debe ser "apropiado" al tipo de texto, ya sea éste un comunicado de prensa, un convenio sobre doble tributación, un discurso del Secretario General, o una carta de envío. El traductor se encontrará, asimismo, con documentos de tipo informativo, serio, humorístico, epistolar y protocolar, entre otras variedades de estilo, los que deberá tratar según corresponda. De nada servirá que capte el significado de una frase en idioma extranje-

ro si no es capaz de verterla a su propio idioma en buena
y debida forma.

La incapacidad para redactar se aprecia en la sencilla
frase siguiente:

> Existen plantas con una mayor necesidad de sol que
> otras.

En lugar de:

> Algunas plantas necesitan más sol que otras.

Lo importante en traducción es adueñarse del texto original y comprenderlo bien a fin de traspasarlo al idioma
al cual se traduce. Nos referiremos con más detalle a la
redacción en una sección aparte[4].

4.
Inquietud o curiosidad intelectual. Debido a la variedad
de temas con que el traductor ha de enfrentarse, tendrá
que interesarse en todo orden de materias. Un día el
texto versará sobre minería; otro, sobre política fiscal,
recursos marinos, agricultura o computación. Le conviene, pues, mantenerse al día, lo que conseguirá leyendo,
por lo menos, un periódico en su lengua materna, de ser
esto posible, o revista de diversa índole. Por ejemplo,
en un diario como **El Mercurio**, de Santiago (en castellano), o **The New York Times**, de Nueva York, o **The Washington Post**, de Washington D.C. (en inglés), encontrará
constantemente un rico y variado vocabulario sobre distintas esferas de actividad y lo que acontece en el mundo. Muchos de los temas tratados por ellos serán abor-

[4]Véase **Redacción**, pág. 149.

dados por más de un organismo internacional. Siempre podrá recurrir a revistas o a libros y leer páginas o capítulos sobre los temas que menos conoce. Los informes y publicaciones de organismos de las Naciones Unidas le serán de utilidad para ir reforzando el conocimiento de los asuntos de que se ocupan. Con frecuencia, tendrá que consultar diccionarios o textos especializados tanto para aclarar conceptos del idioma original como para encontrar su traducción precisa. La lectura será de gran provecho en esta actividad. El traductor debe formarse el **hábito de la lectura**, si es que no lo tiene. Se da el caso de traductores que, fuera de su trabajo, no leen ni investigan y que, por lo tanto, no enriquecen ni amplían su vocabulario con el fin de estar mejor preparados para su tarea.

5.
Un rico y variado vocabulario. A veces se escribe, o se habla, como si existiera un solo verbo o un solo sustantivo.

Ejemplos:

> Chile **cuenta con** más de 30 mil fuentes termales con diferente composición físico-química y biológica de sus aguas. Veintiún de estos centros **cuentan con** hostería.

Con los verbos "tener" o "poseer" podría haberse dado variedad a la redacción. La primera frase pudo haberse comenzado así: "En Chile hay más de...". Obsérvese también la tortuosa redacción de la última parte de esta frase. El texto mejora si se dice:

> En Chile hay más de 30.000 fuentes termales cuyas aguas tienen diferente composición físico-química y biológica.

Respuesta de un entrevistado a quien se le preguntó cuál era su regla del éxito:

> Trabajar **duro**. Yo he tenido que trabajar **duro** y cualquiera que trabaje tan **duro** como yo llegará igual de lejos.

Muchos otros adverbios podrían haberse usado: trabajar **intensamente**; **trabajar con empeño, con tesón**, etc.

6.

Sentido crítico. Es de importancia vital para identificar errores, problemas, contradicciones y distinguir una buena frase de otra menos buena, como asimismo los niveles de idioma que más convengan al texto original. Por ejemplo, no se necesita mucho espíritu crítico para descubrir lo que anda mal en la frase siguiente, en la que un "experto profesional en prevención de riesgos" comenta la divergencia de opiniones acerca de la construcción de un tramo del Metro:

> Esta **polémica**, y así lo tengo entendido, **sustenta** posiciones bastante diferentes. La del Ministro se basa en... y la del economista sólo considera...

Salta a la vista que el experto desconoce el significado de "polémica" (una "controversia" y, según la definición, "por escrito" sobre diversas materias). Por lo tanto, una polémica no sustenta ni puede sustentar nada. Tendría que haberse dicho:

> En esta polémica... se sustentan posiciones bastante diferentes.

O bien: Esta polémica se centra en torno a opiniones bastante diferentes.

7.

Mente analítica. Tiene estrecha relación con el requisito anterior. No hay necesidad, sin embargo, de analizar cada frase del texto original para ver si está correcta o detectar los problemas que plantea. A veces, bastará con una sola lectura o una mirada para formarse de ella una impresión global.

Ejemplo en castellano:

> La estructuración de la Universidad se ha diseñado de manera que se adecua a los requerimientos propios del avance y demandas del área del mar, la minería, la administración y el comercio, factores todos que se constituyen en el motor del crecimiento regional.

¿Se adecua la estructuración o la Universidad? ¿O es la estructura la que se adecua? El empleo de la palabra "área" en vez de "materias de estudio" o "disciplinas" no es el más atinado. ¿Son estas disciplinas "factores"?

Pudo haberse redactado como sigue:

> La Universidad se ha estructurado de manera que satisfaga los requisitos propios del avance y exigencias de disciplinas relacionadas con el mar, la minería, la administración y el comercio, que constituyen el motor del crecimiento regional.

La frase no queda aún tan bien "estructurada", pero en cierto modo ha mejorado en redacción y claridad.

Ejemplo del inglés:

> **Any sufficiently advanced technology is indistinguishable from magic.**

Se podría pensar que la traducción de esta frase nada tiene de complicado: las palabras no presentan problemas, ya que forman parte del acopio terminológico de una persona con cierta preparación. Su versión tal vez sea:

> Cualquier tecnología suficientemente avanzada es indistinguible de la magia.

Se entiende bastante bien la idea que se ha querido expresar. Sin embargo, la frase está algo forzada y su construcción "huele" a redacción inglesa. Podría haberse dicho en una redacción aún mejor:

> La tecnología suficientemente avanzada no puede diferenciarse (o distinguirse) de la magia.

En el perfil de Geraldine Ferraro[5], sin duda escrito en inglés por su autor, se lee:

> Es una valerosa congresal por Nueva York; tiene 48 años, **se crió en forma dura.**

La frase subrayada traduce, al parecer, el inglés **grew up the hard way** que no resiste una traducción literal. La idea es "tuvo una vida difícil", pero como en la primera parte de la segunda frase se ha usado ya el verbo tener —"tiene 48 años"— podríamos decir "sus primeros años fueron difíciles", o "su infancia fue difícil". Esta sería la traducción más breve. Podría, asimismo, decirse:

> "en su juventud (cuando joven) debió afrontar muchas dificultades".

[5]Candidata a Vicepresidente de los Estados Unidos de América.

41

8.

Sentido del ridículo. No sólo en la traducción, sino en la descripción o la narración de un asunto cualquiera suelen encontrarse frases que no se pensaron bien o que no se leyeron dos veces y que hacen reír o sonreír por el vocabulario o la forma en que están redactadas. Por ejemplo, en la nota al pie de una fotografía publicada en un periódico en castellano se lee:

> "Kennedy encuentra sostén en la espalda de un agente".

Tal vez en inglés se dijo: **Kennedy finds support on the back of an agent.**

Pudo haberse usado la palabra "apoyo" en vez de "sostén", o haberse dicho: "Kennedy se apoya en los hombros de un agente" (**Kennedy leans on the shoulders of an agent for support**).

En numerosos casos, los ejemplos que revelan falta de sentido del rídículo son también ejemplos de redacción defectuosa. Generalmente, una parte de la frase está mal colocada.

Otro ejemplo:

> Entrevistado en un exclusivo hotel de Luxemburgo, con voz baja que compite con los graznidos de algunos pavos reales que allí se encuentran, el Dalai Lama no descarta esta pregunta. (¿Podrían los chinos solos buscarse un decimoquinto Dalai Lama?)

Tenemos que esperar demasiado para saber quién es el entrevistado que, con voz baja, etcétera, etcétera. Después de "Luxemburgo" debió haberse dicho:

> el Dalai Lama —con voz baja que compite...— no descarta esta pregunta.

En el ejemplo siguiente, que también pertenece a esta categoría, se confunde al lector que se ve obligado a desandar el camino inicial para rectificar la primera impresión:

> Es natural que los gobernantes sufran enfermedades. Lo extraordinario es que se niegue la dolencia y se anuncie para una fecha próxima, pero continuamente postergada, la reaparición.

No ha sido el ánimo de su autor decir "que se niegue la dolencia y se anuncie para una fecha próxima", como primero entendimos, sino "que se niegue la dolencia y la reaparición se anuncie para una fecha próxima, pero continuamente postergada". Si la frase se construyó tal como está porque se deseaba mantener la fórmula verbo-sujeto, en la segunda frase, ésta pudo haberse alterado en beneficio de la claridad y sin trastornar el equilibrio prefiriendo la fórmula sujeto-verbo, sujeto-verbo:

> "...que la dolencia se niegue y la reaparición se anuncie..."

El ejemplo siguiente pudo haber sido traducción del inglés:

> Papa Juan Pablo II bautizó a 31 recién nacidos en la Capilla Sixtina.

En aras de la claridad y para evitar eso de "nacidos en la Capilla Sixtina", se debió decir:

> Papa Juan Pablo II bautizó en la Capilla Sixtina a 31 recién nacidos.

O bien: "En la Capilla Sixtina el Papa Juan Pablo II bautizó a ..."

9.

Don de síntesis. En cierto modo, ya nos hemos referido a esta cualidad como principio importante de la traducción: preferir lo más breve y conciso a la palabrería o "lata verbal" que cansa.

10.

Buena memoria retentiva. Es una cualidad muy útil ya que el traductor podrá, si la tiene, evocar o invocar con rapidez las palabras, expresiones y fórmulas que necesite. Algunos traductores acostumbran anotar en cuadernos las palabras o expresiones que van cosechando en su lectura y, en especial, las que son "difíciles de recordar". Otros llevan un cuaderno para cada especialidad —economía, recursos forestales, educación, estadística— además del vocabulario que ya han memorizado. No es fácil compartimentalizar las ramas del saber, pero es posible establecer una división entre ellas con miras a reunir terminología.

Como no siempre el traductor podrá llevar a una conferencia o reunión fuera de la Sede o de su lugar de trabajo todo este material de referencia, su buena memoria será un precioso don.

11.

El traductor debe dar también muestras de **disciplina mental**: no es libre como son los escritores para dar rienda suelta a la imaginación. El traductor debe respetar el texto que ha de traducir: no debe decir ni más ni menos que el original. Y esto es lo que les cuesta a muchos aspirantes a traductor: dicen en demasía o demasiado poco.

A veces, el exceso de imaginación o el no haber captado todos los matices, más el empleo de un idioma demasiado rebuscado o florido atentan contra la fiel expresión de ideas ajenas. Por otra parte, creo que todos los excesos pueden atenuarse con la práctica, la dedicación y el esfuerzo.

Estos son algunos de los principales recursos con que debiera contar el traductor.

¿PUEDE ENSEÑARSE A TRADUCIR?

La mayoría de las respuestas a esta pregunta serán negativas. No puede enseñarse a traducir. O se tiene o no se tiene dotes para ello. Hasta cierto punto, se nace para determinada profesión.

Podría muy bien establecerse una comparación entre el traductor y el escritor. Me han inducido a este cotejo las palabras del destacado crítico chileno Raúl Silva Castro[6]:

> "Porque el escritor nace, y los estudios le agregan saber, discreción, tino, buen gusto, táctica en la elección de los medios, sutileza y arte..."

La traducción es un oficio y, como tal, puede enseñarse. Algunos aspectos por lo menos. Pero también, como en cualquier oficio, habrá buenos artífices y otros menos buenos. El grado en que lo dominen dependerá de la pericia y habilidad con que lo ejerzan, de las cualidades que aporten y del deseo que tengan de superarse.

La traducción es, asimismo, un arte comparable a la música. En música se enseña, entre otras materias, armonía, solfeo, ritmo, contrapunto. Naturalmente, el alumno o futuro músico debe poseer "dedos para el piano". Si no los tiene, difícilmente llegará a ser un Rubinstein, un Serkin o un Arrau. Será sólo un "pianista

---

[6]Raúl Silva Castro, **El modernismo y otros ensayos literarios**, Nascimento, 1965. Santiago. Chile, pág. 109.

menor" y tendrá que contentarse con tocar en salas de clases y reuniones privadas. Podríamos ahondar en esta comparación, pero creo haber ilustrado mi punto de vista.

El traductor aportará, además de sus dotes naturales, conocimientos y cultura, imaginación, sensibilidad, capacidad interpretativa y esfuerzo propio. Y, como en cualquier profesión o actividad, aprenderá algo de alguien o por sí solo; también de libros, revistas y otros medios. Puede suceder que el futuro traductor conozca bien un par de idiomas (por ejemplo, castellano e inglés), pero no tenga experiencia en eso de transferir ideas de una lengua a otra con exactitud y acierto en la expresión. Quizás le sea difícil acomodar, en su propia lengua, las ideas tomadas de otro idioma.

No cabe duda de que el traductor debe poseer ciertas cualidades para acometer satisfactoriamente la tarea de traducir. Esenciales son: conocimiento adecuado de la lengua materna a la que el traductor va a traducir, facilidad para captar ideas o entender un texto identificando escollos y dificultades, habilidad para redactar o expresarse bien. Si posee esas cualidades, podrá beneficiarse de lo que él mismo descubra al iniciarse en el oficio, ya que por el camino aprenderá otro tanto.

La traducción es, como muchos oficios, perfectible. Partimos, naturalmente, del supuesto de que al aspirante a traductor le gusta la traducción, de la misma manera que al verdadero pianista le gusta la música, o a determinado profesional la profesión a que se dedica.

Hemos procurado dar una respuesta a la pregunta ¿Qué se requiere para ser traductor? Intentaremos ahora desenmarañar aquellos aspectos de la traducción que pueden enseñarse. Por ejemplo:

a)

A ser fiel al original. Creo que se puede enseñar al traductor a trabajar su texto de modo que se acerque lo más posible al original, es decir a no contentarse con la primera aproximación. Con la práctica y con orientación no sólo lo irá logrando, sino que gradualmente se irá ciñendo al principio de estricta fidelidad al texto original. Tomemos la frase siguiente:

> *In the project budget the total effort must be divided and subdivided until all tasks are defined at a level sufficiently detailed to be readily understood and manageable.*

Ejemplo de infidelidad:

> En el proyecto de presupuesto el esfuerzo total debe ser dividido y subdividido hasta que todas las tareas estén definidas a un nivel suficientemente detallado para ser fácilmente comprendido y manejable.

Ejemplo de fidelidad:

> En el presupuesto para proyectos debe dividirse y subdividirse el conjunto de las actividades hasta definir todas las tareas con suficiente detalle para que puedan comprenderse y manejarse con facilidad.

Se tradujo erróneamente **project budget** y muy literalmente **the total effort** que viene a ser "el total de las actividades" relativas a los proyectos. Si se ha optado por "el conjunto de las actividades", ello se debe a que más adelante encontramos "todas las tareas" que también pudieron ser "todos los trabajos". Esta frase podría haberse traducido de varias maneras, pero sólo la segunda es la traducción correcta, ya que es la que más se acerca al inglés; no contiene ni más ni menos que el original.

b)

A traducir en forma económica. A preferir, en lo posible, lo más breve y directo:

La obra de teatro tiene 32 minutos de duración y es de difícil interpretación.

Es más directo y se elimina la cacofonía si se dice:

La obra dura 32 minutos y es de difícil interpretación.

c)

A desmalezar. Esto significa dejar de lado lo superfluo, lo que nada agrega al texto, conservando lo sustancial.
Ejemplo:

Cabe afirmar que esta playa es hoy día muy frecuentada.

Pueden eliminarse las palabras "Cabe afirmar que" y frases semejantes que están de más.
Otro ejemplo:

Existe la creencia de que con riesgos suficientes, más de uno por mes, y con adecuada fertilización se favorece (la formación de) una segunda floración y se obtiene cosecha invernal.

Sobran las palabras "la formación de". Si se favorece una segunda floración se favorece la formación de una segunda floración.

d)

A evitar la repetición, no sólo de sustantivos, sino también de verbos, adverbios, adjetivos, preposiciones y otras partes de la oración y a veces hasta de ideas.
Ejemplo:

> Es fundamental tener presente que la poda debe ser suave o moderada, **ya que** un exceso es por lo general más perjudicial que una poda leve, **ya que** retarda la entrada en producción de los árboles nuevos y disminuye la cosecha en los adultos.

El segundo **ya que** pudo haberse sustituido por "pues" o "por cuanto". En vez de "un exceso" hubiera sido mejor "el exceso" y se habría evitado el artículo indefinido, sobre todo porque luego hay otro: "**una** poda".
Veamos otro ejemplo:

> El romanticismo gana terreno, según **encuesta** de una importante revista de sicología que **encuestó** a 12 mil norteamericanos.

Mejor: "...sicología, en la que se entrevistó a 12 mil norteamericanos".
Hasta la repetición de preposiciones molesta a veces:

> La negativa **para** una visa **para** viajar a Estados Unidos fue decidora.

La repetición pudo haberse evitado si se hubiera dicho:

> La negativa de una visa para viajar...

o: El negarse a dar una visa para viajar...

En la frase:

> Estas **fábricas** del rey hilaban lanas y **fabricaban** paños que más tarde se bordaban.

El verbo y el sustantivo se han repetido; pudo haberse sustituido el verbo "fabricaban" por "confeccionaban".

A veces se repiten palabras y frases como "también", "entonces", "destinado a" "con el objeto de". Si el traductor enriquece su vocabulario podrá fácilmente eludir la repetición y darle variedad al idioma.

e)
A evitar la cacofonía. Aunque tolerable en proverbios, en coplas o en canciones, la cacofonía puede desentonar en una frase o un párrafo. En castellano a veces molesta el exceso de sustantivos terminados en "-ción", como en la frase:

> "La postergación de la realización de las obras..."

Bastaría con haber dicho:

> "La postergación de las obras"

Otras veces, esta cacofonía es causada por la terminación "-miento".
Por ejemplo:

> El financia**miento** del movi**miento** del cobre a través de la frontera.

Si esta frase no fuera copia de una resolución o de otro

documento oficial, podría haberse sustituido la palabra "movimiento" por "transporte" a fin de decir:

El financiamiento del transporte del cobre...

También pudo haberse dicho:

La financiación del movimiento...

Los adverbios crean también cacofonía, además de que abultan la redacción:

La demanda de oro se ha reducido marcada**mente** por la inflación baja que prevalece actual**mente**.

Podrían haberse usado frases adverbiales: "en alto grado" y "en la actualidad", o haberse dicho en forma más breve: "por la baja inflación actual".
Otro ejemplo:

La Central Canutillar cumple con todos los requeri**mlentos** para el abasteci**mlento** eléctrico de ambas regiones.

Mejor que "requerimientos" era "requisitos" y de haberse usado este vocablo se hubiera eliminado la cacofonía.

f)
A no abusar de la frase sujeto-predicado. En inglés predomina la frase sujeto-predicado[7]. En dicho idioma es fácil encontrar párrafos y páginas de frases en que prevalece

---

[7]Véase **Diferencias entre el Inglés y el castellano**, pág. 160.

esa estructura. El castellano, en cambio, es más flexible a este respecto.

Ejemplos:

U.S. tuna industry was turned down this morning on its plea for tariff relief.

Esta mañana se rechazó la petición presentada por la industria estadounidense del atún para obtener desgravación fiscal (alivio tributario).

También pudo haberse dicho:

Fue rechazada esta mañana la petición para obtener alivio tributario, presentada por la industria estadounidense del atún (industria del atún de los EE.UU.)

El inglés se adivina en la frase sujeto-predicado siguiente:

La velocidad del transbordador posiblemente hizo que el oxígeno se disociara, causando el resplandor.

Podría redactarse mejor:

Es posible que, por la velocidad del transbordador, el oxígeno se disociara causando el resplandor.

g)

A evitar localismos o regionalismos y a usar el vocabulario de tipo más general. Por ejemplo, en ganadería **the killing of animals** suele traducirse por "el sacrificio de animales", aunque en Argentina y en otros países se usa más bien "el faenamiento de animales". Si se ha de elegir entre los términos propios de un país, debe escogerse el que sea aceptable en América Latina en general. El nombre de productos locales debe evitarse en documentos destinados a todos los países de la región. Si se trata de un estudio o de un informe destinado al gobierno (a las autoridades) de un país determinado, se elegirá el nombre que dicho producto tenga en el lugar respectivo.

En mis años de traductora-revisora, en Washington D.C., se me confió la tarea de revisar un texto de primeros auxilios (**first aid**) que había sido traducido del inglés al castellano en Puerto Rico y en el que por haberse usado la terminología propia de ese país no hubiera sido comprendido en otros países a los que estaba destinado.

h)
A aligerar un párrafo demasiado pesado. Algunos autores se intoxican a veces con su propia verba o se olvidan de hacer pausas. Estos párrafos pueden descomponerse en frases razonables.

Ejemplos:

> *Throughout the years, various explanations for the extraordinarily high numbers of killings among blacks have been proposed, the most prominent one being the existence of a subculture that not only tolerates violent behavior but expects it and promotes it —the residue of a history of slavery, lynchings, and other forms of violent racism combined with the effects of discrimination, unemployment, and poverty.*

Aunque no es un párrafo tremendamente largo, al traducirlo al castellano la primera frase incluiría hasta **proposed**. Luego, iniciaríamos una segunda con **The most prominent is the existence**... y colocaríamos dos puntos (:) en vez de raya (-) después de **promotes it**, es decir antes de la enumeración "los vestigios de una historia de esclavitud..." hasta terminar con "discriminación, desempleo y pobreza".

i)

A comprimir un texto, es decir a escribir en forma sintética y a no dejar entrar palabras inútiles.
Ejemplo:

> El año pasado el pintor que vendió más cuadros fue O.C.O. Vendió una cifra cercana a las 20 pinturas.

Incluso si las dos frases precedentes conformaban el texto inglés, pudo haberse eliminado la palabrería inútil. Después del nombre del pintor bastaba con colocar dos puntos (:) e indicar la cantidad: "unos 20", "20 aproximadamente", o "alrededor de 20". No había necesidad de la palabra "pinturas", sinónimo de "cuadros". Se hubiera dicho entonces:

> El año pasado el pintor O.C.O. fue el que vendió más cuadros: unos 20.

j)

A usar el diccionario. A formar en el traductor el hábito de consultar el diccionario, de no dejarse llevar por la similitud de las palabras, de buscar lo que no se sabe o no se sabe bien con el objeto de fijar conceptos.

k)

A mejorar la puntuación. Esto guarda relación con el precedente párrafo h). A veces un punto seguido o un punto y coma (;) mejora la redacción.
Ejemplo:

> *Other insects are social in the sense of being more or*

*less congenial, meeting from time to time in committees, using social gatherings as **ad hoc** occasions for feeding and breeding.*

Otros insectos son sociales en el sentido de ser más o menos compatibles; se reúnen ocasionalmente en comités y las reuniones sociales vienen a ser oportunidades **ad hoc** para alimentarse y reproducirse.

El hecho de que se ofrezcan cursos sobre traducción demuestra que algo de esta especialidad puede enseñarse. Los aspirantes a traductor tienen hoy día acceso a dichos cursos (que en mi época no se ofrecían) en centros, institutos y universidades. Algunos de estos cursos duran hasta cinco años. En ellos no sólo aprenden a manejar idiomas, sino que adquieren conocimientos sobre materias con las cuales se enfrentarán en su carrera. Lo que se persigue es que aprendan a traducir y obtengan cultura general, ingrediente indispensable para que puedan realizar una labor eficiente.

En cuanto a lo que el traductor puede hacer para mejorarse constantemente, tal vez sean de utilidad algunas sugerencias formuladas en otras secciones del presente volumen y, especialmente, en la que lleva por título Cómo perfeccionarse en la traducción.

COMO PERFECCIONARSE EN LA TRADUCCION

Aunque parezca perogrullada, no está de más señalar que si a uno le gusta la traducción hará todo lo posible por ahondar en ella, o por prepararse para acometerla con el mayor acierto y eficiencia. Cada traductor sabrá cuáles son los aspectos más débiles que debe reforzar: pobreza de vocabulario, dudas gramaticales, desconocimiento de la terminología comercial, presupuestaria, jurídica, etc.

Formularemos algunas sugerencias que pueden ayudarle a mejorar ciertos aspectos de la traducción:

1.

Leer mucho y buenos escritores en castellano. No importa si los autores son ya pasados de moda; lo importante es que escriban bien (suponemos, naturalmente, que el traductor es capaz de distinguir entre la buena redacción y la que no lo es). Es de esperar que el traductor pueda reconocer a los autores buenos de los menos buenos, disfrutar de la redacción aceptable, a diferencia de la que no lo es y distinguir el estilo sobrio y conciso del más florido y ampuloso.

2.

Leer sobre diferentes disciplinas y materias: agricultura, economía, educación, tecnología, etc. Es posible que algunas de estas ramas del saber no sean del interés o de la especialidad del traductor, pero le será útil ir adquiriendo vocabulario sobre cada una de ellas aunque sea en pequeñas dosis, pues en algún momento tendrá que enfrentar tales asuntos aunque ello no le agrade mucho. Al igual que el buen nadador, el traductor debe estar preparado para nadar en todas las aguas, es decir lanzarse a traducir un texto sobre materias que desconoce, o conoce poco, y hacerlo de manera satisfactoria con todos los recursos a su alcance (bibliotecas, diccionarios, material de referencia, etc.).

3.
Leer diferentes tipos de material impreso: novelas, informes, resoluciones, leyes, circulares, licitaciones. Incluso en los avisos económicos o publicitarios, el traductor encontrará términos útiles referentes a artículos de consumo, productos químicos y físicos, materiales de construcción, maquinarias, etc. Todo este material, tanto en su forma como en su contenido, contribuirá a enriquecer su vocabulario y le familiarizará con distintas modalidades de expresión. Hasta una colección de proverbios y un libro de cocina pueden ser de utilidad.

4.
Recurrir al diccionario para precisar términos. En la definición y explicación de vocablos se aprende no sólo su definición, sino otras maneras de expresar lo mismo y, a veces, nuevas palabras cuyo significado también hay que buscar. Conviene hacerse el hábito de consultar el diccionario cuando en la lectura diaria se encuentre una palabra nueva o de significado confuso o novedoso. No hay que dejar pasar ninguna sin averiguarla porque es probable que después reaparezca en otro documento o trabajo. Es sorprendente la variedad de términos que se adquieren al consultar el diccionario y las muy diversas acepciones que algunos tienen.

Los siguientes vocablos corroboran lo expresado: he descubierto que "trinar" significa también "rabiar"; que "alagar" es asimismo "inundar" y que "alcayata" es un clavo de cabeza acodada que también se denomina "escarpia". Así como para resolver un crucigrama suele ser preciso recurrir al diccionario, la traducción obliga al traductor a hacer lo mismo.

5.

Acumular sinónimos. El traductor debe llevar consigo una buena provisión de palabras y frases que le sacarán de apuro en cualquier momento y evitarán la repetición fatigosa. A veces, términos sencillos no acuden a la mente con la facilidad que uno deseara o en el momento oportuno. Debería ser capaz de invocar por lo menos tres equivalentes de una palabra. El uso de sinónimos es esencial en castellano, donde la repetición constituye por norma general un defecto estilístico, a diferencia del inglés que la tolera mejor.

6.

Recurrir a las fuentes de información. El traductor dispone ya de un enorme acervo de terminología en cada rama de actividad: economía, finanzas, minería, tributación y política fiscal, productos básicos, clasificación internacional de las actividades industriales, estadística, presupuesto, equipo técnico y mecánico, administración de empresas, etc. Las Naciones Unidas y sus organismos especializados, como asimismo entidades nacionales e internacionales, han profundizado en estas distintas esferas, de modo que el vocabulario correspondiente está al alcance de quien desee conocerlo. Este vocabulario se moderniza y es constantemente enriquecido.

En consecuencia, al traducir un documento sobre algunas de esas especialidades es indispensable que el traductor lo lea primero, subraye los términos técnicos que le puedan crear algún problema, o tome nota de ellos, y los busque en el material impreso a su disposición. Es muy posible que no encuentre toda la terminología que busca o que un término tenga más de una traducción. En el primer caso, puede recurrir a otras fuentes y, de ser posible, al autor para saber qué traducción darle o qué obra consultar; en el segundo caso, si tiene tiempo podría dirigirse a un experto para saber cuál de los términos que ha encontrado es el que se prefiere. Por ejemplo, la palabra **breastfeeding** se traduce por "amamantamiento", "alimentación de pecho", "lactancia materna" y "lactancia natural" y de estas expresiones se prefieren las dos últimas. El término inglés **input** se traduce por "insumo" más que por "consumo", aunque este último vocablo figure en más de un diccionario. En Economía la traducción de rigor es **insumo**; en Informática es **entrada**.

7.
Comparar textos publicados en dos idiomas (inglés y español) para ver cómo se ha hecho la traducción. Podrían traducirse mentalmente párrafos o frases que se verificarían cuando se encuentre una palabra o expresión que interese, o un término desconocido, o conocido a medias. Este cotejo es un buen ejercicio, ya que siempre se aprenderá algo: una palabra o una expresión que habíamos olvidado o una nueva modalidad lingüística.

Muy provechoso resulta comparar la traducción del inglés al castellano de la Carta de las Naciones Unidas, el Acta de Constitución de organismos internacionales, como la OEA, el Banco Mundial, etc., donde el traductor encontrará terminología sobre votaciones y procedimientos parlamentarios. Muy útiles serán también los informes anuales de estas entidades, los acuerdos fiscales, la Declaración Universal de Derechos Humanos, un documento de UNESCO sobre algún aspecto de la educación, la ciencia o la cultura. Conviene, sí, tomar cada traducción con reservas por los errores que puedan haberse deslizado.

El traductor deberá familiarizarse asimismo con series de las Naciones Unidas sobre tratados, convenios y convenciones, resoluciones, decisiones y recomendaciones; discursos; tipos de cartas (de índole comercial, informativa, diplomática, etc.). Podría reunir modelos de este tipo de documentos, ya que a veces varían de una organización a otra. Por ejemplo, las resoluciones y fórmulas de etiqueta al principio y al final de una carta o comunicación diplomática obedecen por lo general a un esquema ya establecido.

8.

Ejercitarse en la redacción tomando algunas frases para traducirlas con precisión, economía, o eligiendo otras mal hilvanadas para estructurarlas mejor. En este ejercicio el traductor hará intervenir su espíritu crítico, sentido del ridículo, u otras cualidades. Por ejemplo, le ha de llamar la atención una frase como la subrayada a continuación:

> **La razón de esta nueva iniciativa está constituida por el interés** que ha despertado la forma como el aborigen adopta técnicas y materiales introducidos por el europeo...

Cuando debió decirse:

> Esta nueva iniciativa obedece al interés...
> Esta nueva iniciativa deriva del interés...
> Esta nueva iniciativa se debe al interés...
> u otras fórmulas más extensas.

Ejemplo del inglés:

> *Although the average precipitation on Earth is more than adequate, painful experience shows that variations in precipitation and runoff from year to year and from decade to decade are so large that water is often deficient over large areas of Earth's cultivated land.*

En la traducción siguiente no se resolvieron satisfactoriamente los problemas de redacción:

> Aunque la precipitación pluvial promedio sobre la tierra es más que adecuada, **la dolorosa experiencia muestra** que variaciones en las precipitaciones y la escorrentía de año en año y de década en década son tan **grandes** que el agua escasea frecuentemente en **grandes** áreas cultivadas de la tierra.

Otra versión mejorada:

> Aunque la precipitación pluvial promedio sobre la tierra es más que adecuada, ha sido penoso comprobar que las precipitaciones y la escorrentía varían tanto de año en año y de decenio en decenio que con frecuencia el agua escasea en grandes extensiones cultivadas del globo.

Como en otras profesiones, muchas rutas se abren ante el traductor para perfeccionarse en su oficio.

PARTE II

VOCABULARIO

PARTE II

VOCABULARIO

VOCABULARIO

El vocabulario —he pensado— es como el dinero: ayuda, pero no lo es todo. Viene a ser sólo uno de los elementos que el traductor necesita para realizar su tarea. Debe poseer, ciertamente, un buen acervo de palabras, frases y giros que le permitan redactar con precisión y soltura textos distintos y en diversos niveles de expresión. Si no dispone de abundante terminología, deberá adquirirla. Y es lo que hacen —o debieran hacer— otras personas con responsabilidad en el manejo del idioma, como el escritor, el locutor y el periodista. A este respecto, se aplica al traductor lo dicho magistralmente por Guillermo Trejo[1]:

> El periodista, como el escritor, trabaja con el idioma, con el verbo y la palabra. De una manera diferente, con matices diferentes, pero con el idioma. El periodista, como el escritor, debe amar su idioma y dominarlo, cautivarlo y cuidarlo. Y para ello tiene que leer. Quizá en los días que corren le falte tiempo, pero ello no será óbice para que, si desea ser un buen y eficiente profesional, tenga que hacerse dicho tiempo para entregarse al placer edificante de leer.

El traductor debe leer sobre variados temas y con auxilio del diccionario. Si tiene buena memoria, esta tarea de recopilar vocabulario será relativamente fácil. Si, por el contrario, su memoria no le acompaña, le será útil mantener algún sistema de fichero por materias o uno de

[1]Escritor y periodista chileno.

términos técnicos y otro de uso general. O bien, podría dedicar un cuaderno al vocabulario de distintas especialidades: educación, derecho, computación, minería, etc.

No sólo ha de reunir sinónimos para dar variedad al texto que traduce, sino que también modismos y giros populares. No siempre dispondrá de tiempo suficiente para buscar una cita o un proverbio, o la frase que encaje con exactitud. Habrá ocasiones en que la rapidez con que ha de entregar su traducción no le dejará mucho tiempo para investigar y tendrá que salir del paso como mejor pueda. Si se trata de citas que no pueda localizar, deberá incluir su propia traducción y explicar en una nota que él es autor de esa versión.

Con un vocabulario rico y variado, el traductor debe ser capaz de manejarlo en diversos niveles lingüísticos y de comprensión. Por ejemplo, si el discurso que ha de traducir está destinado a un grupo de trabajadores con escasa instrucción, debe usar un idioma sencillo tanto en lo que respecta a vocabulario como a imágenes y expresiones. Distinto será este mismo discurso si ha de ser pronunciado ante autoridades ministeriales o diplomáticos, o personal de alto nivel o con cierta preparación. Con el auge de ciencias relativamente nuevas, como la ecología, ciencias del mar y del espacio surgen nuevas palabras y expresiones que el traductor debe asimilar y manejar. Ya se han acuñado varias:

bottom community: comunidad bentónica
continental shelf: plataforma continental
icecap: casquete glaciar
inner city: casco urbano

Tal vez el traductor, principiante o no, se pregunte si de algo le servirá aprender este vocabulario. En el curso de su carrera conocerá la respuesta a esta pregunta: la satisfacción de volver a encontrar un vocablo o término raro con el que ya se enfrentó antes. En mis días de traductora novicia compartía mi oficina en las Naciones Unidas con un español agradable y bonachón con quien de cuando en cuando comentábamos medio en broma y en serio algunos vocablos. En cierta ocasión le oí decir: "¿Para qué nos sirve saber que **ghee** significa "mantequilla de búfalo derretida?" Este término, que figuraba en un informe de un país en fideicomiso, se me quedó muy grabado en la mente, al igual que muchos otros, y más de una vez he vuelto a encontrarlo en las revistas **Time, Newsweek** e incluso en periódicos de mi tierra. No hace mucho lo vi de nuevo empleado en relación con los funerales de la Sra. Gandhi: varios centenares de litros de **ghee** habían alimentado la pira funeraria.

Este feliz encuentro con vocablos que nos iluminan cuando menos lo esperábamos es una de las satisfacciones de la profesión. Como ya se ha señalado, si a uno le gusta la profesión —en este caso la traducción— se esforzará por ahondar en ella y sacar provecho de todo lo que se lea, incluso anuncios colocados en el metro, en el autobús o en la sala de un museo. Por ejemplo, mientras hacía una larga "cola" en la Galería Nacional de Arte, de Washington D.C., para ver y admirar los tesoros de Tutankamon observé en una de las salas por donde pasábamos un letrero portátil que decía **No admittance**. Pensé que ese aviso era un buen test para el traductor principiante. Más de alguno lo habría traducido por "No entrada", "No admisión", "No entre"; otros con más acierto habrían traducido "Entrada prohibida", "Prohibida la entrada", o "Se prohíbe la entrada" que es, sin duda, la traducción correcta. Sin embargo, si tuviéramos que enviar un cable para que se colocara tal aviso en determinado lugar, posiblemente elegiríamos la versión más concisa: "Entrada prohibida". O si tuviéramos que explicar a alguien el significado literal de las dos palabras de esa advertencia diríamos sencillamente "No entrada" o "No admisión". Estas reflexiones, entre otras, suscitó ese letrero.

Si dispone de tiempo, el traductor debe empaparse del tema del texto que va a traducir leyendo más sobre él mismo a fin de poder usar la terminología que más convenga. Por ejemplo, para traducir un texto jurídico le será provechoso examinar acuerdos, convenios, reglamentos, tratados y otros documentos de índole legal. En muchas ocasiones, estos documentos deben ser traducidos por expertos en la materia.

En otras palabras, el traductor debe proceder con flexibilidad y buen criterio en la elección de vocabulario y en la expresión de las ideas que está llamado a traducir, sin olvidar el destinatario del documento de que se trate.

VOCABLOS DE USO FRECUENTE EN INGLES

Sorprende observar en documentos de diversos organismos la similitud de términos y expresiones que se usan sobre los más variados temas. Es como si la terminología vinculara toda clase de actividades. Así, el educador de Colombia, el estadístico de Chile y el experto en ecología de Uruguay manejan en sus especialidades el mismo vocabulario o casi el mismo. En cursos y seminarios, charlas y conferencias, utilizarán vocablos como **development**, **gap**, **pattern**, **breakthrough**, para mencionar sólo algunos.

Con el objeto de dar una idea acerca de estas palabras en boga, o **in-words** en inglés, presentaremos algunas de uso frecuente en este idioma y su respectiva traducción, la que a su vez pasa también a ser moneda corriente en castellano:

action	: acción, medida, disposición, providencia, gestión, trámite, actividad (úsanse también en plural).
agribusiness	: agroindustria
agroeconomics	: agroeconomía.
approach	: enfoque, procedimiento, método, sistema.
area	: superficie, área; zona, región, localidad; aspecto, asignatura, campo de estudio.
arrangement	: acuerdo, arreglo, disposición, gestión, providencia.
background	: antecedentes; formación académica, títulos y experiencia; telón de fondo.

boomerang effect[2]	: efecto de rechazo, efecto de rebote, efecto (acción) contraproducente.
brain drain	: éxodo o migración de profesionales.
breakthrough	: adelanto, avance.
ceiling	: tope, máximo, como en **ceiling price** (precio máximo) o **budget ceiling** (presupuesto tope), en vez de "techo".
commodity	: producto básico, producto primario; (pl.) bienes (de consumo y otros).
constraint	: restricción (a veces: limitación).
development	: adelanto, desarrollo, fomento, promoción, evolución, progreso; (pl.) novedades, noticias, actividades.
discussion	: debate, deliberación, análisis, examen, consideración (de un tema, asunto, etc.).
dispute	: controversia, conflicto; disputa.
emphasis	: énfasis, importancia, realce, relieve (véase **to emphasize** en Verbos de uso frecuente en inglés).
facility	: instalación, servicio, recurso, medio (**water facilities**: servicios de agua).
feedback	: realimentación, retroalimentación; retroacción; comunicación, información, intercambio de información, ideas o experiencia.
follow-up	: seguimiento, actividades complementarias, observación ulterior.
gap	: abismo, brecha, déficit, diferencia, discrepancia, grieta, laguna.
impact	: impacto, choque; colisión; (fig.) efecto. En castellano el vocablo impacto sólo tiene el significado de "choque del proyectil en el blanco" y "señal que deja en él". Sin embargo, se ha tomado del inglés el uso figurativo de "efec-

---

[2]Con la grafía castellana suele encontrarse "bumerán".

to", como en **to cause an impact** (causar o crear un impacto) or **to make an impact** (hacer un impacto), en vez de los excelentes verbos que tiene el castellano: causar impresión, conmoción, consternación, hacer mella, etc.

management
: administración, gestión, gestión administrativa, manejo (de bosques, de pacientes, de empastadas); control, como en el título siguiente: **Managing elephant depredation in agriculture and forestry** (Control de los daños que causan los elefantes en la agricultura y la silvicultura), ordenación.

monitoring
: vigilancia, verificación, seguimiento, control, monitoreo (a veces: observación).

overview
: visión general, cuadro panorámico, panorama.

panel
: foro, grupo, lista o cuadro de expertos, panel.

panel discussion
: mesa redonda.

pattern
: pauta, patrón, modelo, modalidad (Título de un estudio de estadística: **Patterns of urban mortality**, traducido por **Características de la mortalidad urbana**).

pipeline
: oleoducto, gasoducto, ducto[3]; inventario.

[3]Frase tomada de un periódico estadounidense: "It was estimated there were 18 million size zero to 14 garments in **commercial pipelines** worth about $ 159 million, not including unwashed apparel that can be returned by consumers under a federal order. (Se estimó que había **existencias** por un valor aproximado de 159 millones de dólares que representaban 18 millones de prendas de vestir de tamaño 0 a 14, sin incluir las no lavadas que los consumidores pueden devolver conforme a una disposición federal (o "del Gobierno federal")).

in the pipeline	: en cartera, en tramitación, en estudio.
round table	: mesa redonda.
spinoff	: efecto residual o secundario.
target	: meta, blanco (**target date**: fecha prevista; **target population**: población beneficiaria, población a la que se espera atender o beneficiar; **target year**: año horizonte).
task force	: grupo de estudio, grupo de expertos, misión especial.
think tank	: centro de estudios, centro de reflexión, grupo de expertos.
thrust	: aspecto principal (como en **the main thrust of the report**), dinámica, ímpetu, impulso.
tracking	: seguimiento; rastreo (por ejemplo, de satélites).
trade off	: compensación recíproca, compensación de ventajas y desventajas.
trickle down effect	: efecto de la filtración.
watershed	: cuenca hidrográfica; vertiente; divisoria de las aguas; momento decisivo.

VOCABLOS DE USO FRECUENTE
EN CASTELLANO

En libros, revistas y periódicos, como asimismo en documentos de organismos nacionales e internacionales y en
reuniones sobre distintas disciplinas se emplea —como
hemos insinuado— una terminología común. Ello se debe, por una parte, a la similitud de los temas que preocupan al mundo actual y, por otra, a la rápida difusión del
vocabulario en circulación.

Esta terminología deriva casi siempre del inglés, pero su traducción puede variar de un organismo a otro. El
traductor debe conocer y reconocer este vocabulario, su
modalidad de empleo y sus variantes. Para dar una idea
de la riqueza de este vocabulario, presentaremos ejemplos de estos vocablos de uso frecuente en castellano en
relación con algunas actividades, aunque no es fácil establecer divisiones nítidas entre ellas. El vocabulario no
está al servicio de una sola esfera del saber, sino de todas
en general.

Agricultura   : el agro, agroindustria, sector agrope-
                        cuario, sector pecuario, capacidad de
                        carga, cadena alimentaria, riego por
                        goteo, riego por aspersión, capa vege-
                        tal, cosecha de temporada.

Ciencia del mar   : fondo marino, plataforma continental,
                        comunidad demersal, especie bentó-
                        nica, comunidad bentónica, nódulos
                        plurimetálicos.

Comunicación e Información	: cintas fijas, diapositivas, fotocopia, despliegue fotográfico, flanelógrafo, transparencia, informática.
Computación	: cibernética, retroalimentación, realimentación, entrada/salida, bucle, rizo, memoria electrónica.
Desarrollo general	: avenamiento, casco urbano, despegue, desfase, personal homólogo, transferencia tecnológica, vertiente, logo, recursos naturales, infraestructura.
Ecología	: ambiente, contaminación, ecosistema, biosfera, smog[4], reforestación, escorrentía, biomasa arbórea.
Economía	: astringencia de fondos, beneficios, capitalización, deflación, inflación, escasez, insumo, consumo, tasa de interés, crédito contingente, macroeconomía, microeconomía, términos de intercambio o relación de precios del intercambio, insumo-producto, costo-beneficio.
Educación	: alfabetización, flanelógrafo, feltógrafo, planeamiento de la educación, cursillo, colegiatura, ramos electivos, plan de estudio, programa de estudios, formación profesional, capacitación, acreditación, tasa de escolaridad, deserción escolar, profesor a horario completo y a horario parcial, enseñanza personalizada, tarjeta nemotécnica.
Energía atómica	: fisión, material fisionable, precipitación nuclear, escisión.
Estadística	: mortalidad infantil, muestra represen-

---

[4]A veces se encuentra con la grafía "esmog". Se ha llamado también "brumo" (combinación de "bruma" y "humo"), niebla contaminada, bruma industrial, nube de la muerte.

	tativa, diagrama de barras, diagrama de sectores, promedio ponderado, sesgo, tasa de natalidad, gráfico circular.
Finanzas	: capacitación, financiamiento, financiación, financiamiento deficitario, derechos especiales de giro, tasas activas y pasivas.
Periodismo	: conferencia de prensa, rueda de prensa, artículo de fondo, crónicas, comunicado de prensa, despliegue fotográfico.
Política	: cúpula, concientización, reunión cumbre, grupos de poder, paquete de medidas, politización, inmovilismo político.
Presupuesto	: presupuesto por programas, presupuesto por actividades, ingresos, egresos, rubro, partida, déficit, superávit.
Salud Pública	: atención primaria de la salud, minusválido, cadena de frío, desagüe pluvial, abastecimiento de agua y alcantarillado, vialidad, salud dental, salud mental, salud ambiental.

Ejemplos del uso de algunos de estos vocablos:

abanico	: Los estudiantes tienen un **abanico** de posibilidades. El **abanico** de las ideas políticas no es, al fin y al cabo, demasiado grande a pesar de las apariencias. X tiene el respaldo de un amplio **abanico** ideológico que va desde los comunistas hasta los sectores más conservadores de la iniciativa privada.
avatares	: Los **avatares** del entorno, que son recogidos habitualmente por oídos y ojos hipersensibles... Los **avatares** de la vida...
cúpula	: Plana mayor, cuerpo directivo, los ejecutivos, los dirigentes.

La **cúpula** sindical argentina se ha convertido en una verdadera mafia. La realidad es que estas **cúpulas** políticas no son capaces de mirar nada. No es Chile el único país en que las apariencias políticas que dan las **cúpulas** suelen ser engañosas.

desfase : Tales compañías sólo tienen acceso al llamado "Boletín Azul", el cual sale **con** la información pertinente **con** tres meses de **desfase**, en circunstancias que la entidad fiscalizadora prácticamente la tiene elaborada **con** poco más de dos semanas de **desfase**[5].

despegue : El despegue del sector tomará tiempo.

enfoque : Se entregó un nuevo **enfoque** acerca del enigma de Mayerling. Generosidad en el **enfoque** de los problemas del ambiente pidió el Presidente de la Sociedad Chilena de Ciencias.

iceberg : La estructura de la música es como una sucesión de **icebergs** en que todo está debajo. Lo importante es que estas puntas que asoman, que son la obra, hagan aflorar esa vida subterránea. El vocero del MIR en el MDP... es sólo una pequeñísima punta que aflora a la luz pública desde el **iceberg** marxista, subyacente en diversas arquidiócesis, bajo las más heterogéneas fachadas.

instancias : La invasión de Grenada... ratifica la poca disposición de las grandes potencias a utilizar las **instancias** (canales, vías) de negociación que ofrecen los organismos internacionales. La democracia no es un fin en sí mismo, sino una **instancia** (medio) para realizar nuestras utopías.

[5]La preposición **con** se ha repetido, lo que pudo evitarse.

Esta reunión de la máxima **instancia** (autoridad) del Fondo será seguida por otra del Comité de Desarrollo, **instancia** conjunta del Banco Mundial y del FMI, encargada de seguir las transferencias de recursos a los países en desarrollo.

puntual : específico, concreto:
En forma muy **puntual** y en muy pequeña escala se practica también la chacarería. Se analizaron algunos problemas **puntuales** que se avizoran para la temporada.

transparencia financiera : Se refiere a la existencia de información clara, completa, oportuna y fidedigna: "transparencia financiera", "transparencia legislativa". Proyectos buscan la **transparencia** financiera de partidos políticos. Se habla de "transparencia en educación", "transparencia bancaria" y otras.

Es probable que algunas de estas palabras no figuren aún en el Diccionario de la Real Academia de la Lengua. Muchas de ellas han sido acuñadas, como si fuera "al margen de la ley", pero se han generalizado en el ámbito nacional e internacional y sin ellas no podría hoy hablarse de muchos temas.

ADJETIVOS DE USO FRECUENTE
EN INGLES

La presencia de algunos adjetivos es también evidente en documentos y reuniones. En su traducción, no'siempre el adjetivo correcto es el que más se asemeja al inglés. Ejemplos:

appropriate: apropiado, adecuado, apto, pertinente
    the appropriate authority: la autoridad **correspondiente**, competente, pertinente
    the appropriate committee: el comité **competente**
    the appropriate measures: las medidas **procedentes**
desirable: deseable, apetecible, conveniente.
    desirable attainment: aptitudes **convenientes**
    desirable qualifications: condiciones **deseables**
    desirable species: especies **nobles**
profitable: rentable, lucrativo, provechoso, beneficioso, productivo, reduitable.
    profitable price: precio **remunerativo**
    profitable project: proyecto **rentable**
    profitable sectors: sectores **saneados**
reliable: confiable, fidedigno, digno de fe, seguro; formal.
    reliable information: información **fidedigna**, fehaciente
reliable person: persona formal, de confianza, de la que se puede fiar, seria
reliable witness: testigo digno de fe
reasonable: razonable, sensato, prudente
    a reasonable price: un precio razonable o módico
    a reasonable excuse: un disculpa razonable
    a reasonable attitude: una actitud razonable o sensata

ADVERBIOS DE USO FRECUENTE
EN INGLES

Entre los adverbios hay también algunos favoritos, tanto en inglés como en castellano. Mencionaremos algunos de ese idioma que tienen resonancia en éste.

En inglés es frecuente el adverbio **actively** en frases como éstas:

> *The countries were asked* **actively** to participate in the eradication of the disease.
> Se pidió a los países que participen **activamente** en la erradicación de la enfermedad.
> *It is recommended that the countries* **actively** cooperate in the gathering of information.
> Se recomienda que los países colaboren **activamente** en el acopio de información.

En ambos casos el adverbio no es el más acertado. En castellano habría que decir "participen al máximo" o "colaboren en la mejor forma posible", pues no se puede decir "participación activa" contrapuesta a "participación pasiva". Otras posibles traducciones: "con ahínco", "con tesón", "con entusiasmo" y en la frase **She actively participated in the research**: Ella participó en la investigación **de manera destacada**, o Ella tuvo una participación **destacada** en la investigación.

Por influencia del inglés se utiliza el adverbio inglés, con soltura, como en el ejemplo siguiente:

> Los 14 Estados que desarrollan **activamente** investigaciones en la Antártida...

No sólo el adverbio está mal usado, sino asimismo el verbo "desarrollar"[6].

Sin duda, se quiso decir:

> Los 14 Estados que llevan a cabo numerosas investigaciones...

o tal vez:

> "... intensas investigaciones".

Otro adverbio que se maltrata es **consistently**. No siempre es "consistentemente", como en el ejemplo siguiente:

> He **consistently arrived late**.
> Llegaba siempre tarde.
> Llegaba tarde todo el tiempo.

El adverbio **considerably** —con sus tres sinónimos en inglés: **substantially**, **appreciably** y **markedly**— significa no sólo "considerablemente", sino también "en gran medida", "en medida apreciable", "en alto grado", "de manera considerable", "de manera importante" o "apreciable". En general, estos adverbios en castellano pueden sustituirse por una frase como la iniciada por "de manera", más el adjetivo pertinente.

Por ejemplo:

> **Tin exports have increased considerably**
> Las exportaciones de estaño han aumentado en alto grado (de manera considerable).

[6]Véase **Verbos de los que se abusa con frecuencia en castellano**, pág. 86.

Otro adverbio de uso frecuente en inglés es **steadily**:

> **In the past 10 years exports of fish meal have steadily increased.**
> En los últimos 10 años las exportaciones de harina de pescado han aumentado de manera constante.

Muy socorrido es el adverbio **unusually** que puede traducirse por "extraordinariamente", "excepcionalmente", "desacostumbradamente", "inhabitualmente", o por frases como "más que de costumbre".

> **She was unusually quiet.**
> Estuvo más tranquila que de costumbre (que de ordinario), o:
> Estuvo extraordinariamente tranquila.

A veces se traduce este adverbio por "desusadamente", lo que es incorrecto puesto que éste significa "fuera de uso". En vez de "un período desusadamente prolongado" (**an unusually prolonged period**), debería decirse un período **excepcionalmente** prolongado", es decir, diferente de lo usual o acostumbrado.

VERBOS DE USO FRECUENTE EN INGLES

Lo que se ha señalado con respecto a los sustantivos se aplica también a algunos verbos. En cada reunión y en cada documento se encontrarán, y con frecuencia, determinados verbos. Como decíamos en los primeros días de las Naciones Unidas: "Siempre se está adoptando medidas, aprobando resoluciones, haciendo esfuerzos, o haciendo hincapié en algo"...

El traductor debe llevar en su caja de herramientas una buena colección de estos verbos de uso general, de modo que pueda recurrir a ellos sin gran vacilación. La lista siguiente, que no los incluye a todos, puede ser de utilidad:

to adopt: adoptar una medida, una disposición, un plan, etc., pero **aprobar** una resolución, una enmienda, un informe...

to amend: modificar, enmendar, reformar la Constitución. Algunos estudiosos del idioma reservan **enmendar** para introducir cambios en un texto aún no aprobado y "modificar" para el texto después de aprobado; se enmienda una propuesta que está sometida a debate y se modifica una resolución que ya había sido aprobada.

Ejemplos:

La asamblea general de la OEA... aprobó una resolución para celebrar una asamblea extraordinaria en el último trimestre de 1985, a fin de examinar las **propuestas de reformas a su carta**.

Y más adelante en la misma crónica se lee:

> No es la primera vez que se celebra una conferencia para **introducir reformas a la carta**. (Pudo haberse dicho también "para reformar la carta").

to change	: cambiar, alterar, variar, modificar.
to emphasize:	: destacar, enfatizar, resaltar, realzar, poner de relieve, acentuar, recalcar, conceder importancia o atención, hacer hincapié, dar realce; "dar énfasis" o "hacer énfasis", según la Real Academia, se usa sólo en el lenguaje oral, aunque hoy día se ha generalizado su empleo en el lenguaje escrito.
to ensure (that)	: lograr (que), garantizar (que), velar por (por que).
to develop	: desarrollar, pero no siempre. Con más frecuencia: fomentar, promover, crear, idear, establecer e incluso buscar (un método, etc.).
to evidence	: evidenciar, poner de manifiesto, poner de relieve, poner en evidencia (que antiguamente equivalía a "poner en ridículo" o "poner en situación desairada").
to discuss	: discutir, deliberar, pero con más rigor: examinar, analizar (un tema, una propuesta, una enmienda, una resolución, etc.).
to give	: dar, ceder, conceder, brindar, otorgar, proporcionar, legar.
to implement	: realizar, ejecutar, llevar a cabo, llevar a la práctica, hacer efectivo (un proyecto); aplicar (una propuesta, recomendación, resolución); establecer, instalar, implantar (un sistema).
to impress	: impresionar, causar impresión, quedar grabado; imprimir; inculcar; grabar, convencer.

to introduce : presentar (a alguien); adoptar (una técnica); promover la adopción (por ej. de materiales dentales en odontología, etc.).

to involve : mejor que involucrar: implicar, entrañar, suponer, intervenir, participar.

to make efforts : hacer esfuerzos, con sus excelentes sinónimos: esforzarse por, poner empeño en, hacer gestiones para lograr algo, etc.

to plot : graficar, trazar, hacer un gráfico de, hacer el plano de.

to produce : producir, provocar, causar, constituir, originar, tener lugar, dar origen a, dar lugar a.

to provide : no siempre es "proveer". A menudo significa:
— proporcionar, facilitar (pan, techo y abrigo, un libro, etc.).
— brindar (ayuda, cooperación, asistencia; amistad).
— prever (fondos para becas, la realización de seminarios, el nombramiento de una persona a cierto cargo, etc.).
— estipular (en un acuerdo, contrato, etc).
— ser, constituir (un buen ejemplo; el punto de partida del debate, etc.), establecer, disponer, contemplar.

to request : pedir, solicitar.

to require : requerir, pero con más frecuencia: necesitar, exigir, ser necesario; requerir; disponer, pedir a alguien que haga algo (en el sentido de *to demand*).

to review : examinar, analizar, rever (a veces se traduce incorrectamente por "revisar"); volver a estudiar, reconsiderar, reseñar.

to revise : revisar (en el sentido de "modificar", "corregir"). (**The Revised Version of the Bible**: Versión enmendada de la Biblia); repasar, refundir.

to start : empezar, comenzar, iniciar, poner en marcha.

VERBOS DE LOS QUE SE ABUSA
CON FRECUENCIA EN CASTELLANO

En la redacción diaria en castellano suelen usarse algunos verbos como si no existieran otros de significado semejante en un idioma muy rico en verbos. Ello revela pobreza de sinónimos, pereza mental o imitación ciega del inglés ya que a veces suele imitarse de este idioma lo que no es siempre práctica correcta.

Creo que los ejemplos siguientes bastarán para poner en guardia al traductor sobre esta práctica. Cada ejemplo irá acompañado de un breve comentario.

desarrollar. En una de sus acepciones que nos interesa comentar significa "hacer pasar una cosa del orden físico, intelectual o moral por una serie de estados sucesivos, cada uno de los cuales es más perfecto o más complejo que el anterior".

Es decir, en castellano sólo se puede desarrollar **algo que ya existe**.

Ejemplo típico es "el desarrollo del niño", "el desarrollo de la educación". Se subentiende la existencia del niño y de la educación: están en sus albores o en una etapa de su existencia que puede mejorar. Aunque este es el verdadero significado de **to develop**, se lo encuentra con demasiada frecuencia en el sentido de 1) descubrir (**to develop a thing:** buscar, idear), 2) establecer, crear (**to develop facilities:** establecer, construir instalaciones).

Ejemplos de uso erróneo de este verbo por imitación del inglés que a veces lo usa incorrectamente, y verbos, entre paréntesis, que procedía utilizar:

*We have **to develop** a paragraph on defense and to develop a new policy on it.*

Tenemos que **desarrollar** (redactar) un párrafo sobre defensa y **desarrollar** (formular) una nueva política al respecto.

Un ejemplo en castellano:

El **desarrollo** (la formulación) de una política coherente se ha hecho extremadamente difícil.

Otros ejemplos:

Me veo **desarrollando** (organizando, estableciendo) mi taller particular.

La Primera Ministra continúa **desarrollando** (realizando, desplegando) sus esfuerzos para producir energía nuclear.

Pudo haberse dicho también "esforzándose" en vez de "desarrollando sus esfuerzos".

Se **desarrollará** (efectuará, realizará) una conferencia de parlamentarios.

A las 17:30 horas se **desarrolló** (tuvo lugar) una procesión.

Otro ejemplo en una frase complicada traducida del francés:

La tarde del Papa, pasada la siesta o el paseo y, en

ocasiones, ambos, **se desarrolla** en su despacho privado...

Eso de "la tarde... **se desarrolla**" no suena muy bien (se siente el francés detrás de la frase). Pudo haberse dicho:

> Pasada la siesta o el paseo y, en ocasiones, ambos, el Papa se retira a su despacho privado.

producir. Tiene, entre otros significados, el de engendrar, crear, procrear, originar, ocasionar, elaborar, fabricar, dar o rendir frutos, rentar, redituar. Es más bien un verbo de los economistas y que el público ha monopolizado para designar lo que puede expresarse con otros verbos en castellano. Ejemplos:

> El líder sindical reveló que se habían **producido** amenazas de matarlo en su país.

Es un buen ejemplo de redacción defectuosa; podría haberse dicho:

> "... reveló que se sabía de amenazas para matarlo...".

> El arribo del Jefe del Estado a la Iglesia **se produjo** a las 11:00 horas.

En lugar de: El Jefe del Estado llegó a la Iglesia a las 11:00 horas.

> La detención de Ray se **producía** a los dos meses del asesinato del Dr. King.

Como en el ejemplo anterior, no había necesidad de ese

verbo ya que lo mismo pudo haberse expresado como
sigue:

> Ray fue detenido dos meses después del asesinato...".

> Un estudio **produjo** resultados que contradicen el este-
> reotipo de la formalidad victoriana.

Mejor: "Los resultados de un estudio contradicen...".

> Un nuevo atraso-horario deberá **producirse** en el mes
> de marzo del próximo año.

Significa sencillamente: la hora deberá atrasarse de nuevo en el próximo mes de marzo.
Y ejemplos de doble abuso de este verbo:

> El accidente, que se **produjo** (ocurrió, tuvo lugar) a las
> 15:00 horas, **produjo** (dejó) cuatro muertos.

> Los expertos temen que se puedan **producir** intensas
> lluvias como las **producidas** en 1983.

El verbo producir no hacía falta:

> Los expertos temen que pueda llover tan intensamen-
> te como en 1983.

En la frase siguiente el verbo producir no era el más
acertado:

> La unidad latinoamericana, que nunca **se** produjo co-
> mo la quisieron Simón Bolívar y Andrés Bello, tiende a
> **producirse** ahora...

El verbo al que nos referimos pudo haberse sustituido

por "conseguirse" o "concretarse" en el primer caso y por "lograrse" en el segundo.

En un perfil internacional de Indira Gandhi se lee:

> Luego que 18 meses más tarde **se produjo** el fallecimiento de Shastri, derrotó a Desai...

Con una redacción mejor y más compacta pudo haberse evitado este verbo:

> Luego del fallecimiento de Shastri, 18 meses más tarde, derrotó a...

Y unas líneas después:

> El principal momento de su popularidad **se produjo** a fines de 1971...

Habría que expresar la idea en otra forma, por ejemplo:

> Su popularidad alcanzó el punto culminante a fines de 1971...

En la frase siguiente el uso de este verbo no se justifica en absoluto:

> La declaración del Papa fue significativa, ya que se **produce** seis semanas antes de su visita al Perú.

Al comentarla diremos solamente que "una declaración no se produce; "se formula" o "se emite" o, en el más sencillo de los casos, "se hace".

> "El caso **se produjo** el mes pasado...".

Dejamos descansar el verbo si decimos:

"El caso **ocurrió**, tuvo lugar, o se registró...

Finalmente:

Su última aparición (el cometa Halley) **se produjo** en 1910 y ofreció entonces un espectáculo interesante.

La redacción siguiente era de rigor:

Apareció por última vez en 1910 y entonces ofreció un espectáculo interesante.

hacer. Es otro de los verbos de que se abusa constantemente y quizá uno de los más ricos en sinónimos. Por ejemplo, es posible fabricar (zapatos, calcetines, muebles); construir (casa, escuelas); organizar (conciertos, cursos, reuniones), etc. Sin embargo, escritores y profesionales de cierto prestigio usan este verbo con el complemento directo y así "hacen (dan) clases", "hacen (dictan) charlas o conferencias", "hacen (escriben) artículos para revistas y diarios". En general, muchos se aferran a este verbo como lo indican los ejemplos siguientes:

Se **hizo** una exhaustiva reparación de los jardines y un completo plan de arbolización y plantación de jardines.

Parece que la idea es:

Se repararon todos los jardines y se formuló (estableció) un completo plan de arbolización y...".

Otro ejemplo:

> Las evidencias disponibles indican que el invento de la rueda se **hizo** en Mesopotamia hace cinco mil o seis mil años.

No había necesidad de recurrir al verbo "hacer". Era preferible "tuvo lugar" y mejor aún, se pudo decir "...indican que la rueda se inventó en Mesopotamia...".

Un ejemplo de doble uso del verbo por redacción defectuosa:

> La situación se torna muy similar a la de la crisis de los misiles de Cuba en 1962, cuando una firme posición del Presidente Kennedy **hizo** que los rusos **hicieran** retornar los buques que llevaban los misiles.

Podría haberse dicho:

> "...cuando ante la firme posición del Presidente Kennedy, los rusos debieron retornar los buques...".

O bien "...cuando debido a la firme posición..., los rusos debieron retornar...".

Y en esta frase sujeto-predicado:

> La riqueza de esta verdadera "summa" **hace imposible** una sinopsis completa, de modo que no me referiré sino a algunos de sus temas capitales.

Menos forzada quedaría esta frase si se redactara como sigue:

> Por la riqueza de esta verdadera "summa" es imposible una sinopsis...

O bien:

> Dada la riqueza de esta verdadera "summa" es imposible...

O: Esta verdadera "summa" es de tal riqueza que resulta imposible...

Otro ejemplo:

> Todo esto **hace** que el aire se haga irrespirable.

Pudo haberse dicho simplemente:

> Por todo esto, el aire es irrespirable.

hacer esfuerzos. En muchos documentos y reuniones **se hacen esfuerzos** para esto y aquello, aunque en castellano hay otros verbos igualmente expresivos: intentar, procurar, empeñarse, poner empeño, esforzarse, etc. El sustantivo "esfuerzos" podría sustituirse por "intentos"; con frecuencia, equivale a "gestiones".

> Aunque los esfuerzos por incrementar la producción de trigo candeal arrancan de comienzos de la década, la novedad actual reside en el número de entidades participantes.

Hay otra manera de decir lo mismo:

> Aunque desde comienzos de la década **se procura incrementar** la producción...

Y queda mejor porque se anuncia primero desde cuándo "arrancan esos esfuerzos".

La Empresa Portuaria de Chile y algunas empresas particulares **han hecho esfuerzos** para mantener la calificación de puerto expedito que mantiene Antofagasta.

Como en el caso anterior pudo haberse dicho:

La Empresa Portuaria ... y ... **se han esforzado por** mantener (o **han tratado de** mantener..., o **han realizado gestiones** para mantener...).

Con los sinónimos de verbos, al igual que con los de otros vocablos, se introduce variedad en la expresión, mejora el idioma y se elimina la monotonía.

hacer que. En relación con la frase sujeto-predicado, ya nos hemos referido a este verbo y señalado las frases forzadas y, a veces, absurdas a que da lugar. Otros ejemplos:

La falta de una red de caminos y buenos hoteles **hace que** el turismo sea escaso.

En vez de la frase más natural:

El turismo es escaso por la falta de una red de caminos y buenos hoteles.

Alambicada es la frase siguiente:

Cuando se estrenó en Francia el filme "La Banquera", el entusiasmo del público por asistir a las funciones **hizo que** su taquilla superara incluso a la "Guerra de las galaxias".

Mejor:

> "...el entusiasmo del público por asistir a las funciones fue tal que incluso superó a...".

> La ingeniería genética **hace que** lo que ayer era ciencia-ficción sea ya una realidad.

No se necesitaba el verbo "hacer" si se hubiera dado a la frase esta redacción:

> La ingeniería genética ha transformado ya en realidad lo que ayer era ciencia-ficción.

Muy común es la construcción siguiente:

> En mérito a esos antecedentes, estimo que **se hace** imperioso efectuar trabajos de refacción.

Bastaba con decir:

> "En mérito a los antecedentes, es imperioso efectuar trabajos...".

Otro ejemplo:

> "El hecho de tratarse de una explotación que recién empieza a expandirse, **hace que** exista muy poca información sobre el comportamiento de las diferentes y modernas variedades de frambuesas".

Obsérvese en las dos frases el uso de "hace que" resultante de haber forzado la frase para encajarla en el molde sujeto-predicado, cuando pudo haberse dicho y de manera más breve:

"Por tratarse de una explotación que recién empieza a expandirse, existe muy poca información sobre el comportamiento..."

Y aun hubiera sido preferible y resultado más claro:

"no se dispone de mucha información sobre...".

implementar. Este verbo no ha sido aún aceptado por la Real Academia, como han sido ya los verbos "chequear" y "controlar"; estos verbos irritaban de tal modo a mis colegas españoles que se resistían a usarlos incluso después de aprobados. Es un verbo calcado del inglés **to implement**, es decir, una invención. Mientras dicho verbo es admitido al santuario académico, si algún día lo es, quienes lo emplean podrían alejarse del inglés y acercarse al castellano recurriendo a algunos de sus numerosos equivalentes. Significa **realizar** y **cumplir**, con sus diversos sinónimos: llevar a cabo o ejecutar una obra o un plan; poner en práctica o hacer efectiva una decisión, recomendación o resolución; dar cumplimiento a una ley, ordenanza, instrucción o disposición; poner en vigor una norma; aplicar una política, etc.

to implement en inglés también significa **inaugurar** o **poner en marcha**, especialmente un servicio (de atención infantil por ejemplo): **montar** una fábrica de aviones y **construir** un puente... No debe confundirse con "implantar", "instituir", "establecer" o "instaurar" un sistema, una moda, una costumbre, una reforma, etc.

Algunos ejemplos de su uso en castellano:

El encuentro, **implementado** por un programa conjunto entre los dos países, cuenta con el auspicio de los Ministerios de Salud y Relaciones Exteriores y la Agencia de Cooperación Internacional de Japón.

¿Qué significa en este caso? ¿No había acaso un verbo más adecuado? Parecería que se quiso decir "que forma parte de un programa conjunto".

> La Corporación Industrial para el Desarrollo Regional **implementó** un sencillo sistema basado en un equipamiento de carácter casi artesanal para lograr la oleoextracción de los principios activos de la yerba.

Al igual que en el caso anterior, y debido a las numerosas interpretaciones del verbo tal como se ha utilizado, es difícil determinar si se trata de "aplicó", "ideó" o "llevó a la práctica...". Al parecer, el significado de "idear" sería el más acertado.

Se habla incluso de "salas audiovisuales debidamente **implementadas**" en vez de "debidamente **equipadas** o **habilitadas**".

Otro ejemplo:

> En Chile se ha realizdo una fuerte inversión en las compañías de seguros generales y de vida..., al mismo tiempo de **implementar** planes y programas de nivel internacional para lograr la máxima eficiencia y competencia en el mercado nacional.

Además, del verbo que comentamos interesa señalar la defectuosa redacción: "al mismo tiempo de implementar" no va con nada. Quizá se quiso decir: "al mismo tiempo que se han aplicado (puesto en práctica) planes y programas". La frase "se ha realizado una fuerte inversión" es bastante pobre y el adjetivo "fuerte" en lugar de "cuantiosa" o "importante" acentúa esa pobreza. Podría haberse dicho:

> En Chile se han invertido cuantiosos (importantes)

fondos en las compañías... de vida, al mismo tiempo que se han puesto en práctica planes y programas...

A veces se tiene la impresión de que el vocablo "implementación" se usa, al igual que el verbo correspondiente, sin que se entienda bien su significado. En una crónica en la que se informa de que Chile ha adquirido en fecha reciente uno de los equipos que permite extraer los cálculos renales a través de la piel por vía endoscópica se lee:

> El procedimiento de **implementación** es caro, ya que se requiere no sólo del instrumento mismo, sino también de un equipo radiológico muy perfecto, con pantalla intensificadora de imágenes... equipo de ultrasonido, etc.

Y poco más adelante:

> A pesar de su costosa **implementación**, una vez que está instalado, se comienzan a ver sus frutos, los que a la larga se traducen en un notable ahorro de días-cama, horas-pabellón, etc.

No está muy claro si "el procedimiento de **implementación** significa también "el procedimiento de aplicación" o el de "instalación". Parecería que se ha querido decir "de aplicación". Sin embargo, en el segundo caso, se está hablando más bien de su instalación, de modo que la frase "una vez instalado" sería redundante. En realidad, no había necesidad de tal vocablo si se hubiera dicho:

> El procedimiento para instalarlo es caro...

> A pesar de su costosa instalación, pronto se comienzan a ver sus frutos, los que a la larga...

98

Quizá el colmo en el uso de este sustantivo sea la frase:

> Además, la **implementación** médica que aquí tenemos nos da mucha confianza.

Mucho se ha discutido acerca de "la **implementación** de impuestos a los artículos suntuarios", caso en que la palabra "aplicación" era de rigor.

¿Entenderá cualquier lector lo que esto significa? El adjetivo "médica" parece dar la clave: se trataría de atención médica o servicios médicos.

De "implementar" se ha pasado a "toda clase de implementación deportiva", anunciada por una casa comercial. Sin embargo, esta palabra parece derivarse más bien del sustantivo inglés **implement** que significa "utensilio" o "medio", como en "implementos agrícolas". Por eso, el verbo **to implement** tiene a veces el sentido de proveer los medios necesarios para el funcionamiento de algo.

tener. Después de "producir" y "desarrollar", el verbo "tener" ocuparía el tercer lugar entre los verbos más maltratados que acentúan la pereza y la pobreza en la expresión oral y escrita. Con su empleo exagerado se pierde a veces la sencillez, claridad y concisión. ¿O es que preferimos lo más alambicado y fuera de lo común?

En una sola frase encuentro dos ejemplos que me interesa comentar:

> Dicho proyecto **tendrá un costo** aproximado de un millón de dólares y **una duración** de dos años.

Esta frase pudo haberse redactado como sigue:

> Dicho proyecto costará aproximadamente un millón

de dólares y se realizará en dos años (incluso "durará dos años").

Habría desaparecido así también el exceso de artículos indefinidos **un y una.**

Otro ejemplo:

> Juan fue operado por el médico que **tiene** la mayor cantidad de transplantes renales en el mundo.

Mejor hubiera sido: "... que **tiene a su haber**" o "que ha realizado la mayor cantidad de transplantes...".

> Estas naves hipermodernas **tienen** estanques flotantes de acero inoxidable que **tienen** un circuito de entrada y salida para cada producto.

Se pudo haber dado variedad sustituyendo el primer verbo por "...**cuentan** con estanques...".

La frase siguiente, en que está presente el verbo **tener,** es típica de muchas de su género por la simpleza de su redacción:

> Esta industria **tuvo** una capacidad de producción de 90.000 toneladas anuales, que se conseguían con la actividad de un alto horno a coque, tres hornos Siemens Martin y equipos laminadores para alambrón y perfiles livianos.

De más están las palabras "la actividad de" puesto que si decimos que se conseguían con un alto horno a coque se subentiende "con un horno activo" o "en actividad".

En una mejor estructuración de la frase, pudo haberse dicho:

> La capacidad de producción de esta industria fue (en

una época) de 90.000 toneladas anuales, que se conseguían con un alto horno a coque...

Interesante no sólo por el uso del verbo **tener** es la frase siguiente:

> Dichas visitas (al Observatorio del Cerro Calán) **tienen** un cupo de 40 personas, constan de una parte expositiva y otra práctica, y anualmente se atiende a unas dos mil personas.

¿Pueden las visitas tener un cupo? No parece una expresión atinada, como tampoco lo es eso de que las visitas "constan de una parte...".
Mejor redacción daría:

> Dichas visitas, en las que pueden participar 40 personas, comprenden una parte descriptiva y otra práctica. Anualmente se atiende a unas dos mil personas.

Y quizá debiera decirse "y otra de observación práctica" si de eso se trata.

Estos ejemplos reflejan la necesidad de enriquecer el caudal de verbos al servicio de la redacción.

Existir. Este verbo en su tercera persona singular y plural del presente indicativo se ha convertido en muletilla, junto con su gemelo impersonal **hay**. Si se redactara mejor, disminuiría la necesidad de usarlos. Ejemplos:

> Existe una **inercia** de las instituciones que hace durar a las leyes más allá de la realidad que provocó su redacción.

Equivale a:

> Por inercia de las instituciones, las leyes duran (o per-
> duran) más que la realidad que provocó su redacción.

Obsérvese el uso de la frase **más allá de**, otra muletilla a
veces difícil de comprender y justificar.

Existen varios métodos dentro de estas categorías.
Mejor: Estas categorías comprenden varios métodos.
Innecesario resulta el empleo de **hay** en las frases si-
guientes de redacción defectuosa:

> **Hay** diversas dimensiones históricas, geográficas,
> económicas y políticas de este viaje.

En vez de:

> Este viaje tiene dimensiones (repercusiones) históri-
> cas, geográficas...
>
> No **hay** resultados disponibles con la vacuna fría.
> No se han conseguido resultados con la vacuna fría.
>
> **Hay** secciones completas de diversos museos que per-
> manecen cerradas a las visitas.
> En diversos museos secciones completas permanecen
> cerradas...

No se trata de desterrar este verbo impersonal, sino de
no forzarlo, como en la frase:

> Hay precios de boletos que no han variado por años.

Más natural resulta:

> Hay casos en que el precio de los boletos no ha
> variado...

Debemos enviar al exilio a algunos de estos verbos y sustituir la muletilla **hay** por el verbo equivalente.

> **Hay** el temor de que... (Se teme que...)
> **Hay** la esperanza de que... (Se espera que...)
> **Hay** estudios sobre... (se ha estudiado... o Se dispone de estudios sobre...)".

FRASES DE USO FRECUENTE EN INGLES

En documentos y en reuniones el traductor encontrará una serie de frases que le ayudarán a enlazar conceptos y a redactar con comodidad. A continuación presentamos algunas de ellas y sus modalidades de uso:

according to	: conforme a, de conformidad con, con arreglo a, según.
as against	: en contraste con, a diferencia de, en comparación con, frente a.
as agreed to	: como se ha convenido, según lo acordado.
as amended	: así enmendado.
as amended by	: tal como ha sido (quedado) modificado por.
as appropriate	: según sea apropiado, según (como) convenga.
as called for	: como se estipula, como se prevé, como está previsto, en cumplimiento de.
as concerns	: respecto a, en lo que respecta a, en lo concerniente a.
as envisaged in	: como se prevé (está previsto) en.
as far as I am concerned	: por lo que a mí se refiere, por lo que a mí me toca o concierne.
as occasion requires	: eventualmente.
as provided for	: como se prevé (está previsto).
as requested	: conforme a la solicitud, conforme a lo solicitado.
as set forth	: conforme a lo estipulado, como se expresa, como se estipula, como se establece.

as a matter of form	: como cuestión de forma, por fórmula.
as a mere formality	: como cuestión de forma.
as an expression of	: en señal de
as an interim measure	: como medida transitoria.
by birth	: de nacimiento.
by degree	: progresivamente, gradualmenté, poco a poco.
by heart	: de memoria.
by mistake	: por equivocación, por error, sin querer.
by rank order	: por orden de importancia.
by request of the public	: a petición del público.
by virtue of	: en virtud de.
by way of	: por vía de, por concepto de.
for action	: para su decisión.
for appropriate action	: para los efectos consiguientes.
for further consideration	: para estudio ulterior.
for information only	: para (su) información únicamente, sólo para fines informativos.
for practical purposes	: por motivos de orden práctico.
for short	: para abreviar.
for sure	: sin falta.
for the sake of argument	: para argumentar.
for the sake of brevity	: para mayor brevedad.
from all quarters	: de todas partes.
from now on	: de ahora en adelante.
from then on	: desde entonces, desde aquel momento, en adelante.
from this day on	: a partir de esta fecha.

from this it follows	: de ello se infiere (se desprende), de ahí que.
from time to time	: de vez en cuando, periódicamente.
if applicable	: si fuera procedente o pertinente, si procede, de ser procedente (aplicable).
if deemed appropriate	: si se estima(ra) conveniente o apropiado.
if necessary	: en caso necesario, si fuese necesario.
if required	: en caso de necesidad, si se solicita, si se exige.
in accordance with	: de conformidad con, conforme a.
in agreement with	: con la anuencia de, con el consentimiento de, en armonía con, en consonancia con.
in a formal manner	: con (mucha) solemnidad o ceremonia, con (cierto) formalismo o protocolo.
in advance	: con anticipación, con antelación.
in conformity with	: en conformidad con, en consonancia con, conforme a.
in due course	: a su debido tiempo, oportunamente.
in due time	: a su tiempo, en su día, en su debida oportunidad.
in earnest	: en conciencia, en serio, de buena fe.
in my capacity as	: en mi calidad (condición) de.
in my presence	: ante mí.
in relation to	: en relación con.
in spite of	: a pesar de, pese a.
in terms of	: en función de; en términos de, en cuanto a.
in the face of	: frente a, ante, en presencia de, a pesar de.
in the field of	: en el campo de, en materia de, en el dominio de. (Estas frases pueden sustituirse a veces por simple preposición *en*).
in the judgement of many	: para muchos.
in the setting of	: dentro del marco.

in the wake of	: a raíz de.
in witness thereof	: en fe de lo cual
of concern	: de interés, de importancia, de preocupación.
off the cuff	: de improviso, en forma extemporánea.
off the record	: confidencial, extraoficial, no oficial.
on approval	: previa aprobación.
on balance	: en última instancia, en fin de cuenta.
on call	: en reserva, disponible, de turno.
on demand	: a solicitud, previa solicitud.
on duty	: de turno, de servicio, de guardia, trabajando.
on grounds of expediency	: por conveniencia.
on hand	: en existencia, a mano, disponible.
on humanitarian grounds	: por razones de humanidad.
on leave	: con permiso, ausente, en uso de licencia.
on purpose	: a propósito, a adrede, de intento, intencionalmente, a posta.
on target	: conforme a lo planeado, sobre el objetivo.
on the advice of	: por indicación de, por consejo de.
on the assumption that	: en el supuesto de que, suponiendo que.
on the contrary	: al contrario, por el contrario.
on the one hand	: por una parte.
on the other hand	: por otra parte.
on the recommendation of	: por recomendación de, previa recomendación de.
on the same basis	: en las mismas condiciones.
on the spot	: en el lugar, al punto, en seguida, en el acto.
on the whole	: en general, por lo general, en conjunto, en su totalidad.
on this understanding	: conforme a esta interpretación.

out of order	: inadmisible (proposición, enmienda); descompuesto, no funciona (maquinaria, artefacto, etc.).
out of respect for	: por respeto a, en consideración a.
out of step	: en desacuerdo, sin armonía, sin sincronización.
out of touch with	: alejado de, en desacuerdo con.
out of tune	: desentonado, destemplado.
provided that	: siempre que, a condición de que.
pursuant to	: según, conforme a, de conformidad con, en consonancia con, con la anuencia de.
under consideration	: en consideración, en estudio, objeto de estudio.
under instructions from	: conforme a instrucciones de, por encargo de, cumpliendo instrucciones de.
under separate cover	: en pliego aparte, en sobre aparte, por separado.
under way	: en curso, en marcha, en camino, en vías de ser.
under the auspices of	: bajo los auspicios de, bajo el patrocinio de.
under the law	: conforme a la legislación (a la ley, al derecho).
under the pretence of	: con el pretexto de, so pretexto de.
under the provisions	: en virtud de las disposiciones, conforme a las disposiciones.
upon my honor	: por mi honor, por mi palabra de honor, a fe mía.
upon my word	: por mi palabra.
upon request	: a solicitud de, a petición de.
with a view to	: con el fin de, con el objeto de, con miras a.
with reference to	: con referencia a.
with regard to	: con respecto a, respecto de.
with respect to	
within limits	: dentro de límites, con moderación.
within my province	: de mi competencia.

within the context[7] of	: en el contexto de.
within the framework	: dentro del marco, en el marco (de un contrato, acuerdo, programa).
within the reach of	: al alcance de.
within the scope of	: dentro del marco de, dentro del campo de aplicación, o alcance (de un acuerdo, etc.).
within the time fixed	: en el plazo determinado (establecido, fijado).
within two weeks	: dentro de dos semanas.
without detriment to	: sin desmedro a, sin perjuicio de.
without let up	: sin solución de continuidad.
without prejudice to the provisions	: sin perjuicio de las disposiciones, sin menoscabar (prejuzgar) las disposiciones.
without prejudice to the possibility	: sin excluir la posibilidad.
without strings attached	: sin trabas o condiciones, sin cortapisas.

[7]El término "contexto" se define como el orden de composición de ciertas obras. Por extensión significa "enredo, unión de cosas que se enlazan y se entretejen" y, en sentido figurado, es serie del discurso, tejido de la narración, hilo de la historia.
Ejemplo:

Within the context of the earlier discussion...
En el contexto del debate precedente...

Equivale a "siguiendo el hilo del debate precedente". Cuando se retiran de un texto palabras o frases para analizarlas independientemente "se rompe el hilo", por así decirlo, y esas palabras o frases se citan "fuera de contexto" (**out of context**).

FRASES DE USO FRECUENTE
EN CASTELLANO

En la expresión oral y escrita se usa un sinnúmero de frases que nos permiten estructurar las ideas, darles forma y establecer relaciones entre ellas. Son frases que tienen su equivalente en inglés y más de un sinónimo. No siempre se elige el que mejor cuadra.

Comentaremos algunas de estas frases y presentaremos ejemplos de su uso correcto e incorrecto. Por la frecuencia con que se utilizan, las siguientes revisten especial interés:

a base de: Ha dado lugar a "en base a" (En base a lo convenido en la última reunión) o "con base en" (Se escribirá con base en este principio). Y hasta la encontramos en este extraordinario ejemplo:

> Alguien ha dicho que para revivir "Sansón y Dalila" hay que hacerlo **sobre la base de** una cantante absolutamente sobresaliente que también ostente un inusual atractivo físico...

La frase no era necesaria; "hay que hacerlo **con** una cantante ..." era suficiente.

a este respecto: A menudo se usa como sinónimo de "en este sentido.

a diferencia de: Suele usarse incorrectamente "al contrario de" en oraciones como esta: Al contrario de Cuba, país tropical, Chile tiene clima templado.
En vez de "A diferencia de Cuba...".

a fondo: Estudiar un asunto "a fondo" significa examinarlo "en detalle", "con detenimiento", "en sus pormenores".

Por el afán de innovar o imitar se usan a veces frases calcadas del inglés o de otros idiomas. Lo censurable es usarlas exclusivamente, desterrando otras de análogo significado y acaso de mejor categoría:

> Adelantó el Canciller que abordaría el asunto **en profundidad (in depth)** cuando se discuta el punto correspondiente de la agenda.

a menudo: con frecuencia, comúnmente.

a mi juicio: a mi entender, según mi parecer, a mi modo de ver, en mi opinión.

al contrario: corrobora una negación expresada o subentendida, opuesto a algo: No he terminado de leer esa novela; al contrario, ni he empezado a leerla. Suele usarse erróneamente como sinónimo de "a diferencia de": Al contrario de las lámparas de incandescencia, que mueren repentinamente, las lámparas de descarga... sobreviven muchos miles de horas...

al igual que: del mismo modo que, como también, como asimismo.

al menos: por lo menos, a lo menos.

a(l) nivel de: A menudo se abusa de esta frase cuando podría sustituirse por las preposiciones "en" o "entre": Manifestó que las diligencias se han centrado más que nada **a nivel de familiares**. Pudo haberse dicho "entre familiares".

En "Las consultas entre los países tuvieron lugar **a nivel del** Ministerio", el empleo de la frase, aunque parece inobjetable, resulta un poco forzado. La encuesta se realizó **a nivel de la aldea** o **de la comunidad**. ¿Por qué no "en las aldeas" o "en las comunidades" simplemente?

La frase es asimismo frecuente en expresiones como "a nivel regional", "a nivel central", "a nivel nacional", etc.

al respecto: sobre el particular.

al tenor de: Se refiere al contenido literal de un escrito: "Al tenor del Tratado de Lima de 1924". "A este tenor" significa "por el mismo estilo".

a más de: más aún, a mayor abundamiento, además.

a reserva de: con sujeción a. Frase de gran utilidad en textos jurídicos y diplomáticos. A reserva de las disposiciones de la Constitución, con sujeción a lo dispuesto en el presente documento...

a solicitud, a petición de, previa solicitud.

a través de: Mucho se abusa de esta frase. Significa "por entre", como "de un velo", "de una puerta, vidrio, etc." Por ejemplo: Las ranas adultas pueden respirar a través de la piel, que es desnuda, blanda y muy porosa. Suele ser incorrectamente empleada, en lugar de "por" o "mediante" o "por conducto de", o en vez de "durante", "en", etc.

Ejemplos: **A través de** (en el curso de) los años...

Así se desprende de los datos proporcionados por el Banco Central **a través de** (en) un informe. Luis está agradecido de la vida porque, como sea, ha trabajado **a través de** (durante) toda su vida en las cosas que ha deseado.

La modalidad de trabajo es **a través de** (la de) pequeños grupos. No hay necesidad de esta frase si se mejora la redacción y se dice simplemente: El trabajo se realiza en pequeños grupos.

Me he enterado **a través de** (por) una información...

Se hizo el anuncio **a través de** (en) un comunicado especial.

La noticia fue divulgada **a través de** (por conducto de) la autoridad pertinente.

Se pensaba que **a través de** (mediante) una evolución pacífica...

Los datos se obtuvieron a través de (por medio de, mediante) una encuesta.

con el fin de: con el objeto de, con miras a, a fin de, a los efectos de.

concerniente a: en lo que concierne a, en cuanto concierne a. La tercera frase parece comprender dos frases en una; podría sustituirse por "en cuanto a".

con referencia a: Se usa en general en la correspondencia: Con referencia a su carta de fecha...

de acuerdo con: Es sinónimo de "en armonía con", "en concordancia con" o "en consonancia con": "Esta ley está en armonía (armoniza) con la Constitución". Para algunos puristas de la lengua, "de acuerdo con" debe usarse sólo cuando intervienen seres humanos: "Estuve de acuerdo con la propuesta del Presidente". Sería, por lo tanto, incorrecto decir: "Este texto está de acuerdo con el primer párrafo del informe", o "De acuerdo con este proyecto de resolución..." en vez de "Este texto armoniza...", "Según este proyecto de resolución... La frase se ha generalizado y se usa como equivalente de las mencionadas, aunque por la riqueza de sus sinónimos, debe evitarse su uso exclusivo.

de (en) conformidad con, conforme a. Pueden usarse en vez de la frase precedente, como se ha explicado.

de más está decir, huelga decir, es innecesario decir.

dentro del marco, o "en el marco de". El autor de la crónica siguiente parece tener el monopolio de esta frase; pudo haber usado con más propiedad las frases entre paréntesis:
El escritor fue internado hoy **en el marco de** (con motivo de, como consecuencia de) una "interrupción" por razones de salud de su pena de cuatro años de detención. Fue detenido en mayo de 1979 **en el marco de** (a raíz de) la persecución.

desde el (un) punto de vista de: Tal vez para variar se ha echado a rodar "desde el ángulo de", que no es un acierto, o "desde la perspectiva de", o "bajo el prisma de".

de un lado... de otro: variante de "por una parte... por otra".

en breve: a la brevedad posible, cuanto antes, lo antes posible, a muy corto plazo, en el futuro inmediato.

en cambio: Suele confundirse con "al contrario" que es distinto. Ejemplos:

No me gusta este cuadro; **en cambio**, este otro me fascina.

No he hablado mal de ella; **al contrario**, siempre la elogio.

en consecuencia: por consiguiente, por ende.

en cuanto a: Como: **En cuanto a** la creación de la plazuela, debo agregar que...

en efecto: en realidad.

en el ámbito de: en el campo de, en la esfera de. Casi siempre es posible prescindir de estas frases y de otras semejantes (*en materia de*) y sustituirlas por una preposición: Se han hecho importantes investigaciones **en el ámbito de** la medicina nuclear. ¿Por qué no en "medicina nuclear" sencillamente?

en el campo de: Es sinónimo de "en materia de" y de otras frases ya mencionadas y, al igual que éstas, podrían a menudo suprimirse y reemplazarse por una preposición.

Examinaremos la oración siguiente: **En el campo del** adiestramiento se concederá especial importancia al personal **de campo**. La palabra "campo" se está usando en dos sentidos: como parte de una frase y para designar al personal en servicio fuera de una oficina central. Para evitar esto, la frase podría haberse sustituido por otra similar: Respecto al adiestramiento, ... o En cuanto al adiestramiento, ...

en el (un) contexto de: Es semejante a la expresión "en el marco de". El Ministro habló en un diálogo privado **en el contexto del** tema de la regionalización administrativa.

En un contexto político como el europeo, marcado por *un* (*el* habría sido mejor) retroceso electoral de los comunistas, los de Francia son los únicos en el gobierno en el área (región) occidental atlántida.

en el marco de: El Presidente hablará **en el marco de** (con motivo de) las actividades celebratorias del segundo aniversario de vigencia de la Constitución.

en lo esencial: en lo fundamental, en lo sustancial, en el fondo.

en función de: Frase de las matemáticas que a veces se usa en forma ambigua. El pigmento típico de la carne, llamado mioglobina, aumenta **en función de** la edad. Más directo y natural hubiera sido: "aumenta con la edad".

en general: por lo general, en términos generales.

en materia de. Resulta cómodo en la frase **En materia** fiscal hay mucho que hacer, pero a menudo es una muletilla de la cual se abusa: "Este país está muy adelantado en (materia de) educación". En este otro ejemplo podría haberse sustituido por "en cuanto a", "en lo que respecta a": Hay ciertos profesionales u oficios que están sometidos a regímenes de excepción **en materia** de duración de la jornada de trabajo o de feriados legales. (Pudo haberse dicho "en lo que respecta a la duración...").

en nombre de: Suena mejor y es la forma correcta de la variante que hoy se populariza: A nombre de la organización que presido, les doy la bienvenida. Correcto es: Recibió el premio **en nombre de** la homenajeada.

en relación con: Quizá por influencia del inglés (**in relation to**) resulte más cómodo "en relación a", como en la frase: La cantidad de dinero en manos del sector privado aumentó en relación al precio de diciembre. En lugar de **en relación con el precio de diciembre.**

en otras palabras: en otros términos, dicho de otro modo.

en resumen: en síntesis, en resumidas cuentas, en una palabra.

en términos de: Esta frase, apropiada en matemáticas, equivale a "en función de" y se ha convertido en una muletilla en inglés y en castellano. En los ejemplos siguientes podría sustituirse con provecho por lo indicado entre paréntesis:

El problema se analiza **en términos de** (atendiendo a, teniendo en cuenta) su repercusión en el ambiente.

Se nos presentan dificultades **en términos de** (desde el punto de vista de, en cuanto a) recibimiento, transporte, alojamiento y de la capacidad hotelera en general.

Nuestra política es mantener el valor real del peso **en términos de dólares** (en relación con el dólar).

Esta obra supone enormes gastos **en términos de** (en) recursos físicos y monetarios.

Nos hace sonreír una frase como ¿Cuánto es la deuda **en términos de** dinero? Es el estadista más viejo de Occidente **en términos de** (por su) longevidad política.

en virtud de: con arreglo a, como resultado de.

por lo tanto: por tanto, por esto, por consiguiente, por ende.

por medio de: mediante, por conducto de.

por último: finalmente, en síntesis, en resumidas cuentas, al fin de cuentas.

relativo a: referente a, concerniente a.

Parece que la modificación de algunas de estas frases obedece, no al propósito de innovar, sino al desconocimiento de las reglas del idioma.

FRASES DE RELLENO O SUPERFLUAS

En casi todo documento se encuentran frases de relleno o superfluas que inflan el texto sin necesidad.

Algunos autores suelen empezar cada párrafo con "Es importante destacar...", "Es interesante señalar...", "Es necesario advertir que...", "Conviene agregar...", "Debe subrayarse...", "Debe indicarse también...", "Cabe señalar...", "Es de notar...".

Estas frases son superfluas ya que se ha de entender que todos los párrafos y pasajes son importantes o interesantes; de otro modo no se hubieran incluido. La redacción de una frase da el tono de lo que es importante y si las palabras se eligen con acierto se podrá acentuar debidamente lo que procede y no procede resaltar.

Se abusa también de frases como "Por lo tanto", "Por tanto", "Por una parte", "Por consiguiente", "En consecuencia", "Como resultado de ello", "No obstante", "Sin embargo", vengan o no al caso.

Ejemplo:

> **Es interesante señalar que** entre los esfuerzos realizados por el régimen se encuentra el estímulo dado a la agricultura privada.

Las palabras subrayadas están de más. La formulación de la frase revelará al lector lo que tiene mayor realce.

Otros ejemplos:

> **A lo anterior hay que agregar** otro aspecto que **hace**

117

que la situación sea más compleja y menos definida para nuestras condiciones.

Pudo haberse dicho simplemente:

Hay otro aspecto que complica aún más la situación y **la hace** menos definida para nuestras condiciones.

Un ejemplo más:

Debe acotarse, además, que los países integrantes fueron muy recatados en sus reuniones.

Bastaba empezar la frase con

Además, los países integrantes...

Muletillas se vuelven a veces frases como "en efecto", "en realidad", "ahora bien", "por cierto", "¿No es cierto?" y otras. Algunos adverbios han pasado a ser también material de relleno, como "lógicamente", "ciertamente", "naturalmente", "fundamentalmente", "obviamente", "evidentemente" (o "es evidente"). Si bien estas frases, al igual que las muletillas, sacan de apuro, no conviene abusar de ellas. Abultan el texto y a menudo podrían suprimirse o ser sustituidas por otras, sobre todo cuando algunas dan lugar a cacofonía. No basta sí cambiar una frase por otra, como no siempre se puede desmalezar sin remecer toda la tierra. En algunos casos puede ser necesario volver a redactar la oración.

TERMINOLOGIA
PARLAMENTARIA Y DIPLOMATICA

Además de la terminología general, sinónimos, expresiones y frases, el traductor de organismos de las Naciones Unidas debe conocer bien el vocabulario que prevalece en las reuniones de dichos organismos. Parte de este vocabulario se encuentra consignado en la Carta de las Naciones Unidas, en los Reglamentos de los Cuerpos Directivos, consejos, asambleas, comisiones, comités y conferencias.

A fin de abarcar el mayor terreno posible, dividiremos esta sección en tres capítulos dedicados a vocabulario, votaciones y fórmulas.

Vocabulario. El traductor debe familiarizarse con el vocabulario y la organización de reuniones y conferencias, como asimismo de consejos y comités.

La palabra **meeting** significa en general "reunión" o "conferencia"; a veces, "junta" o "asamblea". Equivale, asimismo, a **encuentro, cita, entrevista**.

I had a meeting with my boss.

Tuve (Sostuve) una entrevista con mi jefe.

En castellano "sesión" significa "cada una de las reuniones celebradas por un Consejo, Asamblea, etc., para tratar de un asunto que les compete". En inglés **session** significa, primero, cada **sitting** y, segundo, el período de **sitting**. Por eso, el castellano debió crear la expresión "período de sesiones" para expresar el segundo significado del inglés. Cada "período de sesiones" (**session**) está dividido en reuniones (**meetings**). En contraste, la reunión del Consejo Directivo está dividido en sesiones (**sessions**).

Session significa, además, curso académico o período académico.

Cada reunión o período de sesiones comprende la sesión inaugural, las sesiones propiamente dichas y la sesión de clausura. Al término de ésta se aprueba un informe final que suele denominarse Acta Final.

La Mesa o Mesa Directiva (**The Officers**) comprende generalmente: Presidente, Vicepresidente, Secretario y Relator; puede haber más de uno de éstos.

El oficial de Conferencias (**Conference Officer**) se encarga de todo lo relacionado con la organización de las reuniones del organismo donde trabaja, tanto en la sede como fuera de ella. En algunos casos, se encarga del acondicionamiento de salas de reuniones, contratación de intérpretes y traductores, a veces con la anuencia de altos funcionarios de la organización.

Vocabulario pertinente

adoption of the agenda: aprobación del programa de temas
agenda[8]: programa de temas, temario (generalmente para una reunión o período de sesiones)
agreement: acuerdo, convenio
amendment: enmienda, modificación
body (of a speech): cuerpo (de un discurso)
budget: presupuesto
bylaws: estatutos
closed session: sesión a puerta cerrada
closing (final) *meeting*: sesión de clausura
coffee break: receso

---

[8]Este término ha sido aceptado por la Real Academia de la Lengua en el sentido indicado.

conference room: sala o salón de conferencias
contracting parties: partes contratantes
discussion: debate, deliberación
governing bodies: cuerpos directivos
dispute: controversia, conflicto
draft resolution: proyecto de resolución
headquarters: sede, oficina central, oficina principal
item: tema (del programa de temas); rubro, partida
information item: elemento de información
membership: composición (de un organismo), afiliación, calidad de miembro
off the record: oficiosamente
open meeting: sesión pública
opening meeting: sesión de apertura
order of the day: orden del día (programa de temas para una sola reunión o sesión)
panel: grupo de expertos; jurado en un concurso
policy-making bodies: organismos normativos, organismos encargados de formular la política (económica, fiscal, etc.).
précis: resumen
précis-writer: redactor de actas
proposal: propuesta, proposición
rules of procedure: reglamento (interno)
task force: grupo de estudio
think tank: grupo de expertos o especialistas
package of measures: paquete o conjunto de medidas
working group: grupo de trabajo
working luncheon: sesión-almuerzo

Habría que incluir asimismo algunos verbos que se manejan con frecuencia en este conjunto terminológico.
    Por ejemplo:

to accept: aceptar
to address a meeting: hacer uso de la palabra en una reunión; dirigirse a la reunión; pronunciar un discurso
to adopt: adoptar, aceptar; aprobar (**to adopt the Agenda**: aprobar el Programa de temas)

to agree: estar de acuerdo, convenir en
to amend: enmendar, modificar
to approve: aprobar (un plan, un proyecto)
to take into consideration: tener en cuenta o en consideración, hacerse cargo de una cosa
to consider: más que "considerar" en el sentido de sopesar, es pensar, tener en cuenta, estudiar, examinar.
to hold a meeting: celebrar una sesión o reunión
to revise: revisar en el sentido de rever, volver a examinar una cosa, retocar, pero no de "examinar" con el que suele confundirse.
to review: no es tanto "revisar" como examinar, pasar revista a algo.

Dos verbos de especial utilidad para el traductor y, sobre todo, en la redacción de actas son *decir* y *declarar*. Ambos son ricos en sinónimos, de modo que con ellos se podrían matizar muchas de esas frases, pobres y pedestres, como "dice que menciona" (por "mencionará"), "dice que sostiene" (por "sostiene"), "declara que está de acuerdo" (por "está de acuerdo"), o "se declara de acuerdo".

Sinónimos de **decir**:

acentuar	destacar
aclarar	emitir
alegar	enunciar
asegurar	enumerar
citar	especificar
concretar	exponer
confesar	expresar
consignar	formular
comunicar	hablar
dar a entender	informar
declarar	insinuar
describir	manifestar

mostrar	protestar
nombrar	recalcar
notificar	reclamar
opinar	recordar
precisar	reiterar
proclamar	repetir
profesar	reseñar
proferir	revelar
pronunciar	sostener
prorrumpir	subrayar

Votaciones. Se distinguen las siguientes clases de votaciones:

1. **votación a mano alzada: vote by a show of hands**
2. **votación nominal: roll-call vote** (por orden alfabético de los países miembros de una organización, o por orden de precedencia establecida por sorteo).
3. **votación secreta: secret ballot**

El siguiente vocabulario es pertinente:

abstention	: abstención
ballot	: cédula, papeleta, voto
ballot box	: urna electoral
box	: urna electoral
counting of votes	: recuento de votos, escrutinio
null votes	: cédulas nulas
polling officers	: escrutadores
roll-call	: lista, nómina
tally (to)	: contar, registrar los votos
teller	: escrutador
tie	: empate
valid votes	: cédulas válidas
vote by proxy	: voto por poder
vote by standing	: votación por levantados y sentados
vote closely	: votación muy dividida
bɘbivib	

vote down (to)	: rechazar, votar en contra
vote of thanks	: voto de gracias
vote without debate	: voto sin debate
votes against	: votos en contra
votes in favor	: votos a favor
voting	: votación
voting letter	: carta de voto
voting paper (slip)	: papeleta
voting power	: número de votos
voting procedure	: procedimiento de votación

Algunas fórmulas relacionadas con las votaciones y usadas en las actas[9]:

The elected Chairman took his seat.
El Presidente electo pasa a tomar asiento.

The Chairman recognized the delegate from Mexico.
El Presidente concede la palabra al delegado de México.

He then gave the floor to the Observer from France.
Acto seguido, concede la palabra al Observador de Francia.

The report was unanimously approved.
Por unanimidad queda aprobado el informe.

By 12 votes in favor, none against and 1 abstention, the proposal was approved.
Por 12 votos a favor, ninguno en contra y 1 abstención queda aprobada la propuesta.

---

[9]En castellano las actas se redactan en presente, en contraste con las actas en inglés, que se redactan en pasado. Ello explica la diferencia en el tiempo verbal.

The draft resolution thus amended was put to the vote.
Se somete a votación el proyecto de resolución así enmendado.

The draft resolution was adopted.
Se aprueba el proyecto de resolución.

By acclamation, Mr. X was elected Chairman (Vice-Chairman, Rapporteur).
Por aclamación, el Sr. X es elegido Presidente (Vicepresidente, Relator).

En la formulación de decisiones, recomendaciones y resoluciones se utilizan diversas fórmulas:

The decision to postpone the debate was put to the vote.
La decisión de aplazar el debate es sometida a votación.
It was so decided
Así queda acordado.

También puede recurrirse a frases de enlace como las siguientes:

La decisión
La recomendación
La resolución

- ... relativa a la contratación de expertos.
- ... referente a la fecha de la próxima reunión.
- ... encaminada a modificar el proyecto.
- ... dirigida al Gobierno de los Países Bajos.
- ... tendiente a crear un comité que investigue este asunto.
- ... con miras a fijar la cuota de los países participantes.
- ... en el sentido de encarecer el pronto nombramiento de un auditor.

Fórmulas[10]

En su caudal terminológico, el traductor debe incluir fórmulas de uso frecuente en reuniones e informes, como las siguientes:

It was so agreed.
Así queda acordado.

The meeting was called to order.
Se abre la sesión.

The meeting was adjourned.
Se levanta la sesión.

The meeting was postponed.
Se aplaza la sesión.

The meeting was postponed sine die.
Se aplaza la sesión indefinidamente.

En relación con esta terminología diplomática y parlamentaria existe un gran acervo de términos legales que es preciso conocer. Muchos de éstos figuran ya en acuerdos, convenios o convenciones, tratados y reglamentos sobre muy variados temas: se encuentran en distintos idiomas y servirán de orientación al traductor. A veces, estos vocablos plantean dificultad debido a los diferentes sistemas jurídicos y de derecho que prevalecen; incluso puede ser necesario explicar o aclarar conceptos en notas de pie de página.

---

[10]En la sección sobre **Correspondencia** se presentan fórmulas relacionadas con cartas y comunicaciones en general.

IMPORTANTES FUENTES DE TERMINOLOGIA

Hemos subrayado la conveniencia de que el traductor se interese por ampliar su vocabulario puesto que en su oficio trabaja con palabras. Necesitará muchas de ellas por la diversidad de los temas que deberá abordar y para dar variedad a la redacción. Con tal finalidad, podrá recurrir con método y constancia a la lectura y a la investigación.

Se ha dicho que "la lectura es la única forma de defendernos del anquilosamiento de nuestra personalidad" y hay en ello gran verdad. No sólo nos deleita, enseña y enriquece, sino que en cada página y en cada autor encontraremos vocablos, frases y modalidades de expresión que pueden ser de utilidad en el futuro. Y sobre todo para quien traduce.

El traductor debe leer buena literatura en su propia lengua, que es su instrumento de trabajo, para renovarse y evitar la contaminación lingüística con otros idiomas que maneja. Todo lo que lea le ayudará en su tarea. No sólo los clásicos u obras literarias, sino textos de diversa índole.

En cuanto a la investigación con miras a ampliar su vocabulario, existen ricas fuentes de terminología casi en todas las ramas del saber en las bibliotecas de Naciones Unidas y de sus organismos especializados, además de las pertenecientes a organismos nacionales e internacionales.

Mencionaremos algunas de estas fuentes:

— La Carta de las Naciones Unidas (Secretaría, Corte Internacional de Justicia) le informará sobre:
a) Estructura de las Naciones Unidas;
b) Responsabilidad y deberes de los Estados, Países Miembros, etc.;
c) Composición de sus órganos principales, incluyendo la
   Secretaría de las Naciones Unidas.
— La Declaración de Derechos Humanos.
— Reglamentos de Personal (tipos de contrato o nombra-
  mientos, condiciones de sueldo, licencias, subsidios, etc.).
— Reglamentos financieros (auditores, comprobación y cer-
  tificación de cuentas, clases de cuentas, etc.).
— Presupuestos (tipos de presupuesto, asignación de fondos, ingresos y egresos, becas, etc.).
— Acuerdos, convenios, convenciones y protocolos sobre
  diversas materias.
— Documentos sobre estadística, educación, salud, agricul-
  tura, silvicultura, energía atómica, ambiente, terminología, etc.
— Informes anuales de diversos organismos.

El traductor llegará a conocer así el vocabulario empleado en distintos organismos en relación con diferentes
temas y enriquecerá con provecho su caudal de vocablos, sinónimos, frases y expresiones.
   A medida que avanza en el conocimiento de "las
reglas del juego", en la acumulación de terminología de
utilidad en su oficio, irá agudizando su espíritu crítico y
podrá detectar errores en el material estudiado. Siempre
es bueno tomar cualquier traducción que se lea con
reservas, es decir, estar atento a posibles deslices invo-
luntarios en cualquier obra por muy acabada que sea, o
por muy experimentado que sea su autor.

UNIFORMIDAD EN EL USO
DE LA TERMINOLOGIA

Aunque se han hecho intentos por uniformar la terminología usada tanto en los distintos países como en los organismos de Naciones Unidas, este objetivo no se ha logrado aún. Algunos organismos han publicado boletines terminológicos para uso interno, es decir, listas de frases y vocablos aceptados dentro del organismo de que se trate. Si bien este vocabulario se incluye en los documentos que publican y es empleado, en general, por sus funcionarios en las reuniones de cuerpos directivos y otras de comités, comisiones y grupos de estudio, los participantes en dichas reuniones no siempre se ciñen a la terminología de estos documentos, sino que utilizan la que prevalece en el país de que proceden o una de índole muy personal.

Algunos delegados o representantes de gobierno se referirán a menudo a las "agencias especializadas de las Naciones Unidas" (FAO, OMS, UNESCO, etc.), a pesar de que en los documentos ante ellos se use la expresión "organismos especializados" que es la denominación consagrada en la Carta de las Naciones Unidas. Más aún, los comités, comisiones y otras entidades suelen ser rebautizadas por los asistentes a una conferencia, aunque fácilmente hubiera sido posible verificar su nombre exacto antes de la reunión.

A veces leemos "Programa de Desarrollo de las Naciones Unidas", en lugar de "Programa de las Naciones Unidas para el Desarrollo" (**United Nations Development Programme**).

Del mismo modo, los expertos traducen a su manera expresiones que ya han estado circulando por algún tiempo. He visto informes en castellano, donde la única expresión en inglés que figuraba como 15 veces en unas cien páginas era "profesional **full time**", en vez de "profesional a tiempo completo", "a horario completo", "a jornada completa", o "de dedicación exclusiva", entre otras traducciones posibles.

Otro ejemplo: la expresión **resource person** ha sido traducida a veces por "persona de recursos", en lugar de "persona con amplios conocimientos en determinada materia", o "persona especializada en algún tema" o, simplemente, "experto" o "especialista". En castellano "persona de recursos" significa "persona adinerada", "pudiente" o "rica".

Incluso en el interior de los organismos, no siempre se verifica el nombre oficial de entidades que debieran saberse de memoria. Recuerdo haber visto en uno de ellos papel con membrete en el cual figuraba erróneamente el nombre de una entidad de reconocido prestigio internacional que contribuía generosamente al presupuesto del departamento en cuestión. Le expresé mi asombro, medio en broma medio en serio, a una de las secretarias del Departamento. Algún tiempo después comprobé, por casualidad, que ese membrete había sido corregido.

Este ejemplo podría multiplicarse. Parecería que no es todavía bien sabido que los organismos especializados y entidades regionales nacionales e internacionales ostentan un certificado de nacimiento del cual arranca su nombre oficial.

No hace mucho leí acerca de la designación de embajador ante el "Acuerdo Generalizado de Aranceles y Tarifas" (GATT), organismo cuyo nombre oficial es **Acuer-**

do General sobre Aranceles Aduaneros y Comercio, aunque a menudo se omite el adjetivo "Aduaneros".

La entidad denominada **Bank for International Settlements** ha sido traducida a veces por Banco de Colonizaciones Internacionales y también por Banco de Arreglos Internacionales; su denominación correcta es Banco de Pagos Internacionales. ¡Es como si a uno le cambiaran de nombre!

En muy pocos casos ha variado la denominación de dichos organismos. El Fondo Internacional de Socorro a la Infancia (Naciones Unidas) —(**United Nations International Children's Emergency Fund**)— cambió su nombre a Fondo Internacional de la Infancia, aunque ha mantenido su sigla en inglés (UNICEF) en los distintos idiomas.

En realidad, sorprende que no se verifiquen estos nombres. ¿A qué se debe ello? ¿Se traducen de nuevo por comodidad? ¿O no se sabe realmente que ya han sido bautizados oficialmente? La única excusa sería falta de material de referencia donde encontrar el nombre exacto de dichas entidades. Pero no siempre es este el caso. Las situaciones descritas se han originado en ciudades importantes donde tienen su sede muchos de estos organismos. Si este material no existiera en algún organismo o servicio, se podría telefonear a otro organismo o servicio de la localidad que pudiese facilitar esa información. No sería difícil averiguar su nombre exacto; se evitaría así no sólo darles otro nombre que el que tienen, sino también transmitir información errónea a quienes desconocen su denominación oficial.

En general, sin embargo, se ha avanzado bastante en la uniformidad de la terminología y sobre todo la usada en la documentación interna de los organismos internacionales.

FALSOS AMIGOS

Para quienes creen que la traducción es sólo la transferencia de palabras, en lugar de ideas, de un idioma a otro los "falsos amigos" serán tan buenos como cualesquiera otros.

Los "falsos amigos" son falsos cognados (parientes), es decir palabras que tienen la misma forma y distinto significado; pueden derivar de una raíz común, parecerse físicamente, pero significan algo diferente.

Los ejemplos siguientes demuestran que una palabra del castellano no es equivalente a una del inglés sólo por su parecido físico. Al enfrentar tales homógrafos importa recordar que las apariencias engañan; la grafía los asimila y el significado los aparta. En ambos idiomas, conviene estar en guardia contra aquellos vocablos que se asemejan por su ortografía ya que pueden dar lugar a zancadillas. Hay que suponer que las palabras que en castellano tienen la misma "apariencia" que las del inglés casi indudablemente tendrán un significado diferente.

La traducción de la palabra inglesa "**simple**" por el castellano "simple", o **relevant** por "relevante" o **candid** por "cándido", no sólo es señal de mal criterio en la selección de compañeros lingüísticos, sino también de desconocimiento de ambos idiomas. Son buenos vocablos del idioma castellano, pero no los apropiados.

Su traducción correcta es:

Inglés: simple   **Castellano:** sencillo, ordinario
     relevant   pertinente
     candid   franco
                                       sincero

Ejemplos:

A very simple person.
Una persona muy sencilla.

A simple question.
Una pregunta sencilla.

"Simple" en castellano significa "sin composición" (contrapuesto a "múltiple"), sin complicación; (fig.) falto de sazón, desabrido.

Ejemplos:

A mere stroke of the pen.
Una simple plumada.

I was only asking.
Era una simple pregunta.

These are the relevant documents.
Estos son los documentos apropiados
(o pertinentes).

En cambio, "relevante" en castellano significa "sobresaliente", "notable", "excepcional".

Por ejemplo:

He has some oustanding qualities.
Tiene algunas cualidades relevantes.

**They gave the impression of being very candid
in their replies.**
Dieron la impresión de ser muy sinceros en sus respuestas.

Todos hemos visto fotos tomadas por una **candid camera**, es decir una máquina franca, que no miente.

Actual versus "actual"

En los documentos de organismos internacionales abundan los términos **actual** y **adequate**. Son buenos ejemplos de palabras vinculadas por su origen a los vocablos castellano "actual" y "adecuado". Pero estas palabras, aunque tienen la misma raíz, difieren en su significado en ambos idiomas. En castellano "actual" significa "presente": día presente, contemporáneo o moderno.

Por lo tanto, **actual** no es equivalente al castellano actual, sino a **efectivo** o **real. In actual fact** es "En realidad". Sin embargo, no es raro encontrar que **actual situation** se ha traducido por "situación actual", en lugar de "situación real".

El **actual value of an object** no es "el valor actual de un objeto", sino "el valor efectivo de un objeto". Un **actual fact** no es un "hecho actual", sino un hecho positivo.

Adequate versus "adecuado"

Aunque "adecuado" es un cognado del inglés **adequate**, significa **appropriate, right, suitable** o **fit.**

Ejemplos:

The right man for the job.
El hombre adecuado para el cargo.

The procedure is suitable for the purpose.
El procedimiento es adecuado para esta finalidad.

Pero:

The money I have is adequate for this trip.
El dinero que tengo es suficiente para este viaje.

Eventual versus "eventual"

Eventual es otro de los frecuentes "falsos amigos". En inglés **eventual** significa **definitive, final**, como en:

This program will result in the eventual eradication of the disease.
Este programa conducirá a la definitiva erradicación de la enfermedad.

En cambio, en castellano "eventual" significa a) posible, contingente, provisional, como en "hacer una promesa eventual" (to **make a provisional promise**), y b) temporalmente, ocasional, como en "trabajo eventual" (**casual labor**).

Eventually, con el cual "eventualmente" suele confundirse, debe traducirse por "con el tiempo", "por fin", "a la larga", "en definitiva".

Ejemplo:

They eventually decided to leave.
Por fin decidieron marcharse.

En cuanto a "eventualmente", no significa **eventually**, sino "ocasionalmente" como en:

She only occasionally wore a hat.
No usaba sombrero más que eventualmente.

Consistent versus "consistente"

Otro contagioso parecido es el del adjetivo **consistent** que en castellano significa "constante" o "consecuente":

Ejemplos:

> **A consistent worker.**
> Un trabajador constante.
>
> **His behavior is inconsistent with what he preaches.**
> Su conducta no es consecuente con lo que predica, o "Su conducta es incompatible con...".
>
> **A consistent argument.**
> Un argumento consecuente.
>
> **She consistently arrived late.**
> Llegaba tarde constantemente.

En cambio, "consistente" significa "sólido", "firme", "sustancial", como en una "pasta consistente" (**a stiff paste**) o en "un pretexto consistente" (**a valid excuse**), "un argumento consistente" (**a sound argument**).

> **Her contribution was more substantial than mine.**
> Su contribución fue más consistente que la mía.

Regular versus "regular".

En castellano "regular" significa generalmente "promedio", "bastante razonable", "no malo".

Ejemplos:

> de regular estatura: **of average height.**
> una casa bastante regular: **a reasonable house.**

So, so, en inglés es "regular" como respuesta a la pregunta ¿Cómo está (estás) usted (tú)? El inglés **regular** se traduce por "constante", "habitual", "ordenado", "normal", "permanente".

Ejemplos:

> **a regular customer**: un cliente habitual.
> **a man of regular habits**: un hombre ordenado en sus costumbres.
> **regular staff**: personal permanente.
> **regular budget**: presupuesto ordinario.
> **regular hours of work**: horas de trabajo normales.

"Regular" es la traducción de **fair** en inglés, como en:

> **This student's performance is fair.**
> El rendimiento de este estudiante es regular.

Se abusa de muchos otros cognados. En realidad, el abuso abarca una amplia gama:

range no es rango, sino escala, gama, abanico, categoría, variedad, amplitud, alcance, intervalo, etc.

implications no siempre es "implicaciones", sino "consecuencias, "efectos", "repercusiones". La frase **financial implications** se traduce generalmente por "consecuencias financieras" o "repercusiones presupuestarias" o "consecuencias o repercusiones sobre el presupuesto".

ability. Con más frecuencia significa capacidad, facultad, aptitud, poder, propiedad, virtud, talento, disposición, efecto... Ejemplos: **ability to pay**: capacidad de pago o financiera; **The ability of ruminants to digest cellulose**: La capacidad de los rumiantes para digerir la celulosa. **The ability to remember dates**: La facultad para recordar fechas: **The ability of some acids to polymerize**: la propiedad de polimerizarse que tienen algunos ácidos. Por **business ability** diríamos "talento para los negocios". Y así como **ability** no siempre es **habilidad, inability** raras veces es inhabilidad: **Her inability to sleep** es más bien "Su incapacidad (o imposibilidad) para conciliar el sueño". Estas son algunas de las acepciones de este útil vocablo.

current. No siempre debe traducirse por "corriente" en el sentido de "presente". Puede a veces referirse al pasado, a lo que era entonces **current.**

> **In 1965 the current debt was larger than in 1963.**
> En 1965 la deuda de entonces era superior a la de 1963.
>
> **Formation of the soil and its current** state are determined by climate and vegetation...
>
> La formación del suelo y el estado de éste **en un momento dado** dependen del clima y la vegetación...

effective. Muy a menudo este término del inglés se traduce con todo desparpajo por "efectivo", cuando por su sentido significa **eficaz** o **eficiente**. Del mismo modo, su derivado **effectiveness** es traducido por "efectividad" en lugar de **eficacia** o **eficiencia**. "Efectivo" es lo real o verdadero, en contraposición a lo imaginario, quimérico, dudoso, nominal; "eficaz" denota que algo tiene la virtud de producir el efecto deseado.

Ejemplos:

> **I want you to pay me in cash.**
> Quiero que me pague en dinero **efectivo** (contante y sonante).
>
> **The actual date of the end of the contract.**
> La fecha efectiva de vencimiento del contrato.

Eso no es **efectivo** (equivale a "eso no es así", es decir contrario a la realidad). Es, pues, incorrecto en los ejemplos siguientes:

> Felizmente, hay muchos medicamentos **efectivos** contra las cardiopatías.
>
> El tratamiento de la calvicie con esta loción capilar es **efectivo** en número significativo de casos.
>
> Un ballet folclórico es el medio más **efectivo** para dar a conocer a un país en el extranjero.

En un mismo artículo se habla de "sustancias **efectivas** para el tratamiento de las innumerables enfermedades causadas por bacterias", de "las esperanzas de encontrar algún arma **efectiva** contra estos invasores" y del interferón que "ha demostrado ser **efectivo** en los melanomas malignos...".

Por descuido, desconocimiento o imitación servil se usa también incorrectamente el substantivo "efectividad" donde el sentido indica "eficacia" o "eficiencia".

En un aviso publicitario en el que se ofrecen clases particulares y cursos de inglés se lee:

> Experiencia y **efectividad** comprobables con importantes ejecutivos y profesionales.

Lo que se anuncia como comprobable en este caso es **la eficacia de la enseñanza** del mencionado idioma y no si la instrucción es real...

Por el abuso de que es objeto el adjetivo **efectivo** resultan frases ambiguas, en las que no se sabe si se ha querido decir "eficaz" o "verdadero".

Ejemplo:

> Procuremos lograr **una protección efectiva**...

¿Se ha querido decir "verdadera" a diferencia de "simulacro de protección" o "protección incompleta", o "una protección **eficiente**", que entrañe todo lo que "proteger" denota?

Otros falsos amigos que, por descuido, entran en el idioma son:

disgrace que también significa "desgracia" (**to be in disgrace o to fall into disgrace:** caer en desgracia), pero no siempre. Con más frecuencia es **vergüenza:**

What he did is a disgrace: Lo que hizo es una vergüenza; **deshonra: He has brought disgrace on his family:** Ha deshonrado a su familia; **ignominia** (afrenta pública).

success: Para quienes se guían por la semejanza gráfica de las palabras, este término significa "suceso", aunque lo que realmente significa es **éxito** o **triunfo:**

> **The book has been a great success.**
> El libro ha sido un gran éxito.

Del mismo modo, para muchos **event** es "evento" en lugar de **suceso** o **acontecimiento**.

to report en su sentido de "reportar" es un verbo muy manoseado, especialmente por los locutores. No hace mucho, uno de ellos lo dejó caer como seis veces mientras anunciaba que pronto se iban a "reportar noticias". En ningún momento echó mano de **comunicar, informar de, dar a conocer**, e incluso **contar** o **relatar...**

En resumen, en el idioma como en la vida debemos elegir con cuidado a nuestros amigos.

CONTAMINACION LINGÜÍSTICA

Varias palabras del idioma inglés han penetrado en el castellano por la puerta trasera. Se las encuentra en diversos niveles y en relación con toda clase de temas. Mencionaremos algunas.

La palabra **status** se está popularizando para denotar lo que antes era "prestigio" o "situación": algo confiere prestigio, o condición, o mejora la categoría, o la posición social de alguien. Ahora se dice que un organismo ha adquirido **status** consultivo, en vez de "calidad de entidad consultiva", o ha sido reconocido como tal; una disposición está en **status** de transitoriedad en vez de "es transitoria". El prurito de utilizar una palabra como ésta va en desmedro de la claridad de expresión. Incluso en una revista sobre agricultura he visto el título:

Nuevo "status" para el queso de cabra

¿Entenderán todos los agricultores el significado de este vocablo? ¿Le dirá algo al agricultor "poco leído"? El texto se refería al mejoramiento de la calidad de dicho producto a fin de incentivar su adecuada producción e industrialización. No era necesario el vocablo; pudo emplearse uno más al alcance de todos los lectores; por ejemplo:

Nuevo horizonte (futuro) para el queso.
Nuevas perspectivas para el queso.

Otro ejemplo: Invocó su "status" de diplomático. En este caso, pudo haberse dicho "su calidad de diplomático".

Por si fuera de alguna utilidad, en las Naciones Unidas la **Comission on the Status of Women** se denomina "Comisión de la Condición Jurídica y Social de la Mujer".

La palabra **rol** que significa "nómina" (el **rol** de contribuyentes) ha invadido terreno y ya no se habla del "papel" o de la "función" de maestros y enfermeras, sino del "rol" de estos profesionales. De este modo, dos palabras inglesas se han reducido a una: **role** (papel o función) y **roll** (nómina) se han convertido en "rol".

Otro tanto sucede con la palabra rango, traducción incorrecta del inglés **range** (gama, abanico, amplitud, extensión, distancia, intervalo, alcance, etc.). Este término se usa comúnmente en estadística y en la expresión de valores. El castellano tenía y tiene numerosas palabras para designar variaciones o diferencias "en la escala (**range**) de 15 a 45 años"; "una inversión del orden (**range**) de dos millones de pesos"; "el precio de los televisores varía (**ranges**) de... a...", o bien "la diferencia de precios va de X a Z", o "en el precio de los televisores hay diferencias de X a Z", en vez de... "tiene un rango"...

He leído por ahí "rango de opciones" en vez de "gama" o "variedad" y "rango de filtración de gas" en lugar de "grado de". Se ha usado el vocablo en este segundo ejemplo, por la falta en castellano de un término que indique los dos extremos de una secuencia cuantitativa: quizá se ha querido decir que la filtración de gas está en el ámbito de 5 a 10 por ejemplo, así como se habla de "niños que están en el grupo de edad de 10 a 14 años". La palabra "escala" podría a veces ser de utilidad en este sentido.

En castellano la palabra "rango" siempre ha significado clase, jerarquía, categoría, calidad, como en la frase siguiente de Ortega y Gasset: "En el amor colaboran la fantasía, el entusiasmo, la sensualidad, la ternura y muchos otros simples de la química íntima. La dosis en que entre cada uno y **el rango** que ocupe en la perspectiva total deciden del cariz que va a presentar el sentimiento amoroso".

No hay razón valedera ni necesidad alguna para usar y españolizar los vocablos mencionados. Tampoco se justifica, ni por comodidad, el uso de la expresión **full-time** en vez de "tiempo completo", "horario completo", "jornada completa", "dedicación exclusiva", etc. Se dirá que el empleo del término inglés ahorra espacio, lo que es importante. A ello responderemos que siempre se podrán recortar otras palabras e incluso frases donde quizás haya habido despilfarro.

El castellano no sólo se deja contagiar por el inglés; también por el francés. Era fácil pasar de **programmes ponctuels** a "programas puntuales" para designar aquellos programas que no tienen coordinación con otros, que están aislados como un "punto", por oposición general o global. No sorprende, entonces, encontrar:

> Asimismo, se vieron algunos problemas **puntuales** que se avizoran para la temporada 1982-1983.

Aunque hubiéramos esperado "específicos", "concretos"...
Distinto parece ser el significado de esta palabra en la frase:

> Es más fácil y socorrido hablar del santo Job, pero quizá fuera más cierto y **puntual** aludir al inteligente Job...

En este caso y por tratarse de un autor español, el sentido parece ser el aceptado, pero poco usual, de "conforme, conveniente".

Estábamos acostumbrados a calificar de "puntual" a la persona con sentido de responsabilidad en el pago de sus deudas o en el cumplimiento de sus obligaciones y compromisos, además de su sentido de "pronto, diligente, exacto en la ejecución de las cosas", pero se ha optado por copiar del francés una simple manía.

Otro vocablo que se ha incorporado al castellano y que se usa con frecuencia en educación es **maestría**. En varias instituciones se concede hoy día el diploma de "maestría"; por ejemplo "Maestría en enfermería"; título tomado de la práctica anglosajona de otorgar el título de **Master**, como **Master in education**, en otras especialidades.

El término **membership** se encuentra también en su versión castellana **membresía**, pero no parece haber ganado mucho terreno. Se ideó a partir de "miembro" o "calidad de miembro" de un comité, consejo, etc. Esta es su acepción tradicional en inglés. Sin embargo, en la jerga modernista **membership** tiene también el conveniente significado de "composición" o "afiliación". En forma similar se ha ideado el término **readership** que denota "lectores" o "número de lectores" o "público de lectores". Se ha llegado incluso a castellanizar el sustantivo **peak** en su acepción de "cifra máxima" o "nivel máximo". En un documento sobre la producción de fruta leo que "se ha estado a punto de alcanzar el **pic**".

He leído también "horas pic" en vez de "horas de máxima actividad" u "horas de punta", si procede, u "horas de mayor movimiento o actividad". ¿Entenderá eso de "pic" alguien que no sepa inglés?

Otras veces se deja la palabra en inglés y, en general, se usan otras en este idioma como si no tuvieran equivalente en castellano:

En el tiempo **peak** de la temporada, que se produce a mediados de febrero, no menos de 150 camiones diarios salen de los recintos portuarios llevando los **palets** que son paquetes de cajas de unas 104 o menos unidades, debidamente enhuinchadas, según sea la estiba del buque **charter**.

Las palabras subrayadas no hacían falta; "produce" no es el verbo más acertado. Hubiera bastado con "o sea a mediados de febrero". Se han usado tres términos en inglés: hemos comentado ya el primero; **palets** puede traducirse por "paletas" y buque **charter** por buque "fletado".

Un último ejemplo, de los muchos que podrían mencionarse: el vocablo "líder" (inglés: **leader**) usado conjuntamente con el sustantivo "artículo" o "producto" —"producto leader"— para designar aquél que tiene mejor venta o mayor salida en el comercio.

Evidentemente, estos términos del idioma inglés tienen gran atracción por su brevedad, pero desplazan sin necesidad a otros términos del castellano.

En esta imitación del léxico de otro idioma —en el caso que analizamos del inglés— se copian también ciegamente algunas aberraciones, es decir vocablos que están circulando "a la mala" en el idioma imitado: alguien los echa a rodar quizá por innovar, por descuido o ignorancia y, luego, los imitadores que no desean quedarse atrás los ponen de moda...

Me refiero en especial a dos vocablos: **metodología** y **simbología**. Por su etimología, significan "estudio de métodos" y "estudio de símbolos", respectivamente. Pero se usan, con gran desparpajo, como sinónimos de "métodos" y de "símbolos".

PARTE III

REDACCION

REDACCION

Hemos considerado la habilidad para redactar como una de las cualidades esenciales que debe poseer el traductor. Redactar deriva del verbo latín que significa compilar, poner en orden. Redacción sería la expresión correcta de los conocimientos o pensamientos previamente ordenados. De ahí que se hable o se escriba bien cuando se tienen ideas claras y ordenadas. Existe, desde luego, el arte de hablar con propiedad y de escribir con corrección conforme a las reglas de la gramática.

En esta guía se considera que la redacción comprende no sólo el arte de escribir, sino asimismo otros aspectos.

En general, no se ha concedido a la redacción la importancia que merece en la labor de traducción. Se ha dado preferente atención a la capacidad de verter el texto de un idioma a otro, independientemente de la forma en que el texto original se transfiera a un segundo idioma. Se tiende a valorar la búsqueda de equivalencias, en desmedro de la forma. En cambio, la traducción —la buena traducción— no consiste sólo en reflejar las ideas del texto original, sino en expresarlas en el idioma al cual se traduce con corrección y refinamiento, además de otras preocupaciones en cuanto a gramática, sintaxis, monotonía en la construcción de frases, longitud de éstas, armonía, cacofonía, orden, repetición, etc.

Insisto en la redacción porque mi experiencia en traducción, sobre todo en los organismos de las Naciones Unidas, me ha hecho comprender que la falta de calidad de algunos textos traducidos y los errores que se cometen en ellos se deben muchas veces no al desconocimiento del idioma (inglés y castellano, por ejemplo), sino al hecho de no haberse redactado las ideas con soltura, concisión y cierta elegancia.

La redacción falla a menudo y es importante ingrediente del oficio. Nos referimos de preferencia a la **redacción escrita**. Lo sorprendente es que quienes pecan por el lado de la redacción suelen hablar bastante bien: hacen sentido en lo que dicen, manejan con corrección, gusto y acierto giros del idioma, juegan con él, etc. En el texto escrito, sin embargo, ya no son los mismos. Pareciera que entre las manos y el papel algo se ha perdido...

La traducción satisfactoria debería ser, en lo posible, impecable en cuanto a fidelidad y forma. Más aún si ha de ser publicada. Puede suceder que alguien solicite con urgencia y con fines informativos la traducción en castellano de un artículo científico o de un editorial de periódico, una carta u otro material. Es posible que el texto sea complejo y que el traductor deba traducirlo en el mínimo de tiempo. Sin embargo, tendrá que encarar la tarea de "vestir" esa traducción con su mejor ropaje. Ante una frase no muy bien construida o redactada, el traductor generalmente se defiende con un "No tuve mucho tiempo y, por eso, quedó así". Considero que esta excusa de la falta de tiempo para no redactar bien es inaceptable. Con o sin tiempo, el traductor debe poder redactar de manera correcta. La escasez de tiempo no debe invocarse para justificar una frase mal hilvanada.
Ejemplo:

> **Erosion on sloping hillsides is often caused by grazing animals which break up the soil as they make trails by walking in search of food; it can be prevented by keeping the animals penned, and bringing fodder to them.**

He encontrado la siguiente traducción:

> La erosión de las laderas de los cerros es generalmente causada por los animales que pastan en ellas y rompen la tierra y hacen surcos en ella al buscar su alimento; puede prevenirse manteniendo los animales con forraje.

Otra versión más aceptable sería la siguiente:

> La erosión de las laderas de los cerros suele ser causada por los animales que pastan en ellas, los que rompen la tierra con los rastros que dejan al desplazarse en busca de alimento; esto puede evitarse alimentándolos en establos.

Examinaremos algunos ejemplos en castellano de frases que no se redactaron bien:

> No hay datos de cuántos chilenos han optado por el sacerdocio al enviudar.

Mejor hubiera sido:

> No se sabe cuántos chilenos...

Otro ejemplo que puede ser traducción del inglés:

> El **matrimonio** formado por Earle y Rhoda Brookes **son** codirectores del cuerpo de Paz en Chile.

Es evidente que "El matrimonio... **son**..." es incorrecto. Pero se pudo haber dicho:

> Earle y Rhoda Brookes, matrimonio, son...

Ejemplo de traducción:

Make certain that the employee sees the session (interview) as one for performance improvement and not for criticism and fault-fixing...

Traducción literal:

Asegúrese de que el empleado considere que el objetivo de la sesión (entrevista) es mejorar su desempeño y no criticarlo y adjudicarle culpabilidad.

Otra versión:

Procure dar al empleado la impresión de que el objetivo de la sesión (entrevista) es mejorar su desempeño y no criticarlo y señalar sus defectos.

No cabe duda de que la segunda versión satisface más. Se ha captado la idea y se le ha dado la redacción adecuada. Con frecuencia, se abusa de la construcción sujeto-predicado que es típica de la frase inglesa. Resultan así frases forzadas que no son propias del castellano:

Construction of lined cut-off drains will control gullying.
La construcción de fosas interceptoras evitará escapadas.

Al parecer, se quiso traducir literalmente la frase, aunque se omitió la idea tras la palabra **lined** y se interpretó incorrectamente el sustantivo **gullying.**

Nos acercaríamos más al inglés y con mejor castellano si dijéramos:

Con la construccón de zanjas interceptoras revestidas se evitará la formación de barrancos.

Ejemplos:

> La lógica de los hechos **hace difícil concluir** que el objetivo final haya sido realmente lograr sólo un cambio de rumbo del gobierno.

Podría haberse dicho:

> Dada la lógica de los hechos (En vista de la lógica de los hechos), es difícil concluir...

En lugar de:

> La iniciación de esta maratón de pianistas fue cerca de la una de la tarde.

debería haberse dicho:

> Esta maratón de pianistas se inició cerca de la una de la tarde.

Otro ejemplo:

> El incremento del comercio internacional de productos agropecuarios (importaciones y exportaciones) **hace imperioso** un mejor control de los productos del agro.

En vez de:

> Por el incremento del comercio internacional... es imperioso un mejor control.

Un tipo de frase muy extraño en castellano y que parece ser imitación del inglés:

> **Entre** los individuos para los cuales se prevé la suje-

ción a un curador **están** (o figuran o tenemos) los pródigos, o disipadores...

Creo que la redacción mejora si se dice:

Los individuos para los cuales se prevé... comprenden los pródigos o disipadores...

Otra construcción semejante:

Entre las especies que componen la unidad, **algunas** son más sensibles que otras.

Podría también decirse:

Algunas de las especies que componen la unidad son más sensibles que otras.

Ejemplo en que el sustantivo usurpa la función del verbo:

Desde ayer el sistema de movilización de pasajeros **se está haciendo** con buses, hasta que quede superada la situación.

¿Por qué no

Desde ayer, los pasajeros se están movilizando en buses, hasta que...?

Si debiera mantenerse la frase "el sistema de movilización de pasajeros", habría que redactar como sigue:

Desde ayer en el sistema de movilización de pasajeros se está recurriendo a buses, hasta que...

Otra construcción anómala:

Actualmente el número de Estados Miembros es de 152.

Mejor:

Actualmente hay 152 Estados Miembros.

Bajo el título de redacción procede incluir también ejemplos de frases mal hilvanadas en las que se han incluido palabras inútiles (subrayadas).

Ejemplos:

Indicaron que ya recibieron ofertas de residencia **formuladas por** varios gobiernos...

Las palabras subrayadas podrían haberse sustituido por la simple preposición **de**.

Según estos importadores, **la razón por la que** debe continuar permitiéndose la importación (de whisky) **es** principalmente **el hecho de que** por cada dólar que se gasta en importar el licor escocés hay que pagar un dólar y 15 centavos al Fisco.

Esta alambicada redacción pudo haberse simplificado como sigue:

Según estos importadores, debe continuar permitiéndose la importación (de whisky) principalmente porque por cada dólar...

De la misma crónica:

Otra razón que aducen estos empresarios para defender la libertad de importación de whisky **es el hecho de**

que en caso de que se prohibiera su entrada legal al país, se produciría un mercado negro del whisky.

Simplificando:

> Estos empresarios aducen otra razón para defender la libertad de importación de whisky: si se prohibiera (de prohibirse) su entrada legal al país, surgiría (mejor que "produciría") un mercado negro de ese producto...

Muy frecuente es la frase en que sujeto y predicado se enlazan por alguna forma de "ser que" como la siguiente:

> Uno de los aspectos que llama la atención **es que** la partida del camión **es** casi instantánea y funcionan perfectamente sus luces y señalizadores.

Además del "es que" el verbo ser en su forma **es** se ha repetido y la frase está desequilibrada por haberse colocado el verbo "funcionan" antes del sujeto como no se hizo en la primera parte de la frase. La construcción anómala que introduce "es que" pudo haberse evitado si se hubiera dicho:

> Llama la atención que la partida del camión es casi instantánea y que sus luces y señalizadores funcionan perfectamente bien.

Otro ejemplo:

> Las observaciones que nos llegan **son que** la situación general se ha deteriorado bastante en relación a 1982.

Además de ser incorrecta la construcción de la frase, pudo haberse dicho sencillamente:

> Según las observaciones que nos llegan, la situación

general se ha deteriorado bastante en relación con 1982 (en lugar de "en relación a").

La frase siguiente necesita revisión:

En el puerto de Iquique, en la antigua isleta Serrano, hay un histórico faro **que se halla** lamentablemente en un estado **que hace necesario que sea refaccionado** a la brevedad posible para preservarlo de la dañina humedad marina.

La redacción mejoraría si se dijera:

... que se halla lamentablemente en mal (o pésimo) estado. Es necesario refaccionarlo a la brevedad posible a fin de preservarlo de la dañina humedad marina.

Finalmente, un ejemplo de redacción descuidada y abundante en palabras que empañan el pensamiento:

Las relaciones entre población y recursos se enfocan **en** la dependencia que el hombre tiene frente a éstos y **de** las formas cómo la ejercitan.

Las dos preposiciones subrayadas son incorrectas ya que no van con el verbo; una cosa "se enfoca" desde el punto de vista de algo. El segundo verbo "ejercitar", que va con la dependencia, no es el más atinado. Hubiera sido mejor:

Las relaciones... se enfocan desde el punto de vista de la dependencia... y de las formas que ésta adopta.

Estos ejemplos de redacción defectuosa podrían multiplicarse. En todos ellos pensamientos y lenguaje no armonizan, pues cuando las ideas son claras el lenguaje las refleja, o debiera reflejarlas, en toda su nitidez.

Excelente ejemplo es la frase siguiente:

> La pudrición de la uva es uno de los más fuertes impactos que ha recibido la agricultura regional en los últimos años.

¿Cuál es la idea básica? ¿Qué se ha querido decir con eso de que "la pudrición es uno de los más fuertes impactos"? La idea no está clara; podríamos interpretarla de diversa manera. Y el lenguaje no ha sido bien elegido. Quizá se quiso decir sencillamente: "es uno de los más graves problemas que ha debido afrontar la agricultura regional en los últimos años". Faltó la armonía esencial entre pensamiento e idioma...

En la redacción importa también el orden en que se sitúan los componentes de la frase. A veces se rompe el esquema natural —el hilo— de la frase por la desordenada secuencia de estos componentes. La naturalidad se logra si los elementos ideológicos se colocan uno detrás de otro, o éstos se distribuyen con miras a lograr la mayor claridad posible.

Ejemplos:

> A un siglo de distancia, tanto a la gruta original como al santuario chileno siguen llegando los peregrinos.

Creo que la frase resulta más clara si decimos:

> A un siglo de distancia, siguen llegando los peregrinos tanto a la gruta original como al santuario chileno.

En el ejemplo siguiente se podría lograr un mejor ordenamiento:

> Don Pedro José Barrios ha vendido su chacra, situada

a dos leguas al poniente de Santiago, a don Federico Santa María, por la suma de 180 mil pesos.

La frase contiene varias ideas: la transferencia de un terreno de un señor a otro, la situación del mismo y el precio de la venta. Ninguno de estos aspectos tiene, al parecer, más importancia que otro. De modo que podríamos decir:

> Por la suma de 180 mil pesos don Pedro José Barrios ha vendido a don Federico Santa María su chacra situada a dos leguas al poniente de Santiago.

Nos hemos referido a la redacción como el arte de escribir bien y hemos mencionado algunos de sus rasgos esenciales.

DIFERENCIAS ENTRE EL INGLES
Y EL CASTELLANO

Si bien el inglés y el castellano pertenecen a grupos lingüísticos diferentes —el primero es una lengua germánica, mientras que el segundo es una lengua románica— ambos idiomas arrancan de un tronco común indoeuropeo. Pero sin detenernos a examinar a fondo su origen, su morfología y sus características especiales, mencionaremos algunos aspectos que diferencian al uno del otro y que interesan a la labor de traducción. Por lo demás, estos rasgos distintivos se van evidenciando a medida que se empieza a profundizar en esta actividad.

En nuestras primeras clases de inglés aprendimos, como estudiante, una diferencia entre el inglés y el castellano: en inglés el adjetivo se coloca antes del sustantivo, como en el ejemplo clásico **round table: mesa redonda**. Esta diferencia en el orden de las palabras se extiende también a la secuencia de partes de la frase, como en:

On hearing his name he stood up.
Se puso de pie al oír su nombre.

Hay otros aspectos en que ambos idiomas difieren y procederemos a comentarlos:

Inglés	Castellano
1. Más económico (sintético).	Menos económico (analítico).
2. Facilidad para crear palabras.	Menos facilidad para crear palabras.

3. Gran riqueza de sinónimos (vocabulario activo).	Gran riqueza de sinónimos (vocabulario pasivo).
4. Predominio de la frase sujeto-predicado.	Mayor flexibilidad en la estructura de la frase.
5. Construcción de frases: verbo al final.	Construcción de frases: verbo anunciado antes.
6. Fácil adaptación del vocabulario al progreso técnico-científico.	Menos facilidad de adaptación al progreso técnico-científico.
7. Uso más frecuente del sustantivo en lugar del verbo.	Uso más frecuente del verbo en lugar del sustantivo.
8. Uso generalizado del posesivo.	Uso menos generalizado del posesivo.
9. Empleo de la frase afirmativa.	Empleo de la frase negativa.
10. Uso frecuente de los artículos definido e indefinido.	Uso más limitado de los artículos definido e indefinido.
11. Uso del plural.	Uso del singular.
12. Uso de mayúsculas.	Uso de minúsculas.
13. Vigor (fuerza) de las preposiciones.	Debilidad de las preposiciones.
14. Predominio de la voz pasiva.	Predominio de la voz activa.
15. Importancia del modo de acción.	Importancia de la dirección de la acción.
16. Rigidez de las fórmulas epistolares.	Mayor variedad de las fórmulas epistolares.
17. Tendencia a crear y a usar siglas.	Menos tendencia a crear y a usar siglas.
18. Moderado uso de títulos honoríficos.	Exagerado uso de títulos honoríficos.
19. Redacción de títulos y subtítulos.	Redacción de títulos y subtítulos.
20. Normas de puntuación.	Normas de puntuación.

1. Economicidad del inglés

Fácil es comprobar que en inglés las palabras suelen ser más breves que en castellano (abundan los monosílabos) y raras veces tienen más de cuatro o cinco sílabas. No será siempre posible traducir un verbo monosilábico por otro también monosilábico como **to go** ir. Muchos de ellos requieren más palabras.

Ejemplos:

> **to nod**: asentir con la cabeza, hacer una venia.
> **to bow**: hacer una reverencia, etc. como en
> **He answered with a slight bow**.
> Contestó con una ligera reverencia.

Salvo excepciones, en inglés puede expresarse mucho con pocas palabras; de ahí también su ocasional ambigüedad. Por otra parte, no es raro encontrar palabras o frases de igual longitud o casos en que el español es incluso más conciso.

Ejemplos:

> **He came down very quickly**.
> El bajó con mucha rapidez.
>
> **She doubted whether to accept or reject the invitation.**
> Ella dudaba si aceptar o rechazar la invitación.

Ejemplos de palabras que resultan "económicas" en castellano, en contraste con las del inglés:

> porfía: **obstinacy, stubbornness**
> trasnochar: **to stay up all night**

Sin embargo, en páginas y trozos largos el inglés se revelará casi invariablemente más económico que el castellano, como se observará en los ejemplos presentados en el cuerpo de este volumen. En otras palabras, el inglés es un idioma sintético, a diferencia del castellano que es analítico. Esto se aprecia en la estructura misma de las frases:

En una frase de tipo lineal se dirá en castellano:

> Es necesario aumentar las exportaciones a fin de mejorar la balanza de pagos, de modo que puedan obtenerse reservas para mejorar el nivel de vida.

En inglés se preferirá una frase hipotética, evitándose así el encadenamiento interminable del castellano:

> If we are to obtain reserves and improve the level of living, we must increase exports and improve the balance of payments.

2. Facilidad para crear palabras

El dinamismo del inglés para formar palabras es indiscutible. Constantemente se están creando vocablos mediante la adición de partículas al principio o al final de palabras. Basten por ahora los cuatro ejemplos siguientes:

> **in-words**: palabras en boga
> **input**: entrada; insumo
> **output**: salida; producto
> **sit-in**: manifestación de personas sentadas, "sentada"

Algunos de los nuevos vocablos que surgen son pintorescos y gráficamente inteligibles, pero no siempre es fácil adaptarlos al castellano. La diversidad con que se vierten a este idioma demuestra que no tienen traducción directa, aunque algunas versiones logran imponerse sobre otras.

Ejemplos:

brain drain. En su traducción literal significa "drenaje de cerebros", frase que hemos visto en varios documentos. A veces se ha traducido por "fuga de cerebros", todavía bastante cerca del original. Pero la idea se expresa con más claridad y corrección en la frase "éxodo de profesionales" o "migración de profesionales".

role-playing. No significa "desempeño de funciones", sino literalmente "actuación de un papel", es decir, caracterización, dramatización, escenificación, psicodrama. Por ejemplo, los alumnos de un curso se organizan para representar o simular la Asamblea de las Naciones Unidas con el fin de examinar un tema: uno hace de Presidente, otro de Relator, otros de Delegados de países, otros de Observadores, etc.

feedback. Este término, tomado de la ciencia de la electrónica y la computación, significa "retroalimentación" y "realimentación". Sin embargo, se usa también con otras acepciones[1].

sandwich course. Curso del sistema de períodos alternados de estudio en la escuela y de práctica en la industria.

teen-agers. Jóvenes de ambos sexos de 13 a 19 años; se dice también **teens**: menores de 20 años.

cash flow. Afluencia de fondos, corriente de efectivo, movimiento de caja o de efectivo.

3. Riqueza de sinónimos

Aunque desde mis días de liceana he oído hablar de la "riqueza del castellano en lo que respecta a sinónimos",

[1]Véase sección **Cooperación lingüística entre las diversas disciplinas**, pág. 307.

creo que se trata en general de un tesoro escondido, pues muchos de estos vocablos se encuentran encerrados en el Diccionario de la Real Academia de la Lengua. Se van descubriendo con la mayor erudición que se adquiere, con la lectura frecuente y diccionario en mano, o por asociación con quienes han recorrido antes el mismo camino.

El inglés, en cambio, es rico en sinónimos de uso corriente, es decir, palabras en ejercicio activo. Veamos, por ejemplo, los sinónimos en inglés del sustantivo siguiente:

situation: *position, locality, location, place, site, station, seat, post, whereabouts, ground, environment, bearings, direction, latitude o longitude, footing, status, standing, standpoint, stage, aspect, attitude, posture, pose.*

situación: posición, disposición, aspecto, postura, actitud, colocación, ubicación, estado, exposición, lugar, orientación, lado, emplazamiento, yacimiento.

Ejemplo de un verbo:

to deny:
protest	*contradict*
gainsay	*veto*
reject	*negate*
withhold	*reject*
doubt	*disallow*
discredit	*set aside*
dissent	*ignore*
differ	*offset*
disagree	*neutralize*
demur	*cancel*
call in question	*contravene*
refuse to admit	*disaffirm*
cavil	*disown*
quibble	*disprove*

wrangle	*nullify*
repudiate	*refute*
recant	*dispute*
give the lie	*impugn*
belie	*rebut*

En castellano encuentro:

negar:	denegar	rechazar
	repulsar	encogerse
	desestimar	de hombros
	esquivar	impregnar
	prohibir	anular
	vedar	excusarse
	impedir	defenderse
	ocultar	no admitir
	disimular	no dignarse
	apostatar	resistir
	renegar	repugnar
	abnegar	desairar
	excluir	cerdear
	cabecear	rehusar
	desconsentir	
	calabacear	

Sin duda, habría que agregar muchos más en ambos idiomas, pero a primera vista y sobre todo en lo que al verbo se refiere, en castellano algunos de los sinónimos no son de uso frecuente o conocidos del público en general. Son monedas de limitada circulación en el léxico corriente.

4. Predominio de la frase sujeto-predicado[2]

La frase inglesa estándar es de tipo sujeto-predicado y todo puede expresarse con esta fórmula. Ello tiene su

[2]Véase también sección correspondiente, pág. 184.

explicación: no hay manera de distinguir el sujeto del predicado salvo por su posición en relación con el verbo.

Ejemplos:

Man bites dog.
Dog bites man.

Traducción literal de la frase:

These measures will bring greater stability.

Estas medidas traerán mayor estabilidad.

Pero más castellano es:

Con estas medidas se logrará mayor estabilidad,
o: Estas medidas permitirán lograr una mayor estabilidad.

En castellano hay más flexibilidad para estructurar la frase.

No siempre es necesario empezar, como en inglés, con el sujeto. La palabra inicial puede ser una preposición o una frase adverbial o un relativo. La frase sujeto-predicado resulta comúnmente forzada en su traducción literal al castellano.

Ejemplo:

The limited time available allowed me to visit only the Museum of Modern Art.
El limitado tiempo disponible permitió que visitara sólo el Museo de Arte Moderno.

La redacción mejora si decimos:

Por el escaso tiempo de que disponía, sólo visité el Museo de Arte Moderno.

o: Como disponía de poco tiempo...
Como no disponía de mucho tiempo...
Debido al escaso tiempo disponible...

5. Diferente construcción de frases

Los dos idiomas que comentamos son, por su estructura, diferentes en más de un aspecto. Los dos rasgos siguientes son evidentes: la tendencia del verbo inglés a colocarse al final de la oración y la posición del complemento indirecto antes del complemento directo. En castellano el verbo se anuncia, o debiera anunciarse, a comienzos de una frase a fin de que el lector no espere hasta el final para saber de qué se trata. El complemento directo tiene preeminencia sobre el complemento directo:

Ejemplos:

The town to which the goods were shipped
La ciudad a la cual se enviaron (fueron enviados) los artículos.

I gave the postman two letters.
Le dí dos cartas al cartero.

El castellano exhibe más libertad en cuanto al orden de los vocablos: es posible usar el sustantivo sin artículo o el verbo sin pronombre ni sujeto. En el uso de las preposiciones se advierte mayor libertad en el castellano, pero esta libertad significa menos precisión que en el inglés y mayor anarquía.

6. Fácil adaptación del vocabulario al progreso técnico

Tradicionalmente, el inglés ha sido, junto con el alemán, el idioma de la ciencia y de la tecnología. Gran número de descollantes avances científicos se han originado en países de habla inglesa: el descubrimiento del vapor, la electricidad, el teléfono, la aviación. El idioma de esos países refleja ese desenvolvimiento. En cambio, España ha estado vinculada al campo humanístico, la filosofía y las letras más que a las ciencias. Lo mismo puede decirse de los países iberoamericanos.

El elevado nivel técnico de los países de habla inglesa queda de manifiesto en los nuevos términos que se crean para expresarlos. Así lo demuestran los vocablos siguientes tomados del inglés:

countdown : recuento regresivo, cuenta regresiva.
dial   : esfera, discado (**to dial**: discar).
nylon   : nilón.
feedback   : realimentación, retroalimentación (IBM)
splashdown : amerizaje.

7. Uso del sustantivo en vez del verbo

El inglés se sirve del sustantivo con más frecuencia que el castellano: el inglés prefiere la construcción nominal, en contraste con la preferencia del castellano por las formas verbales. El uso de sustantivos permite crear más palabras, aspecto al que ya nos hemos referido. El inglés dirá:

Come for lunch tomorrow.
literalmente: Venga para el almuerzo mañana.

En castellano diremos:

Venga a almorzar conmigo mañana.

Por imitación del inglés ha pasado a ser lugar común el uso de frases en que la preposición va seguida del sustantivo en vez del verbo.

Ejemplo:

A plan was approved for the development of agriculture.
Se aprobó un plan para el fomento de la agricultura.

En lugar de: "... un plan para fomentar la agricultura".

8. Uso del posesivo

En inglés se usa siempre el posesivo, el que guarda relación con el sustantivo al cual se refiere. En castellano esto no sucede.
Por ejemplo:

The gentlemen removed **their** hats.
Los señores se sacaron el sombrero.

En inglés se piensa que cada caballero tenía un sombrero, y como eran varios los señores debe usarse el plural para establecer la concordancia con el sujeto. En castellano cada caballero tenía un solo sombrero.

9. Uso de la frase afirmativa (inglés) en contraste con la frase negativa (castellano)

La negación armoniza mejor con este último idioma. De ahí la diferencia que se observa en algunos tipos de frases:

Inglés:	Castellano:
I feel under the weather	No me siento bien
I have little money	No tengo mucho dinero
If I remember correctly	Si la memoria no me es infiel... *(me falla)*
Weather permitting	Si el tiempo no lo impide...

You may borrow the book so long as you keep it clean	Puede pedir el libro prestado siempre que no lo ensucie
There is scant knowledge about the nature of the disease	No se sabe mucho acerca de la naturaleza de la enfermedad

10. Artículos definido e indefinido

En inglés se usan con más frecuencia y precisión estos dos artículos y es mayor la oposición entre ambos que en castellano. En este idioma, en cambio, el sustantivo puede usarse con artículo definido, sin artículo definido y con artículo indefinido. El artículo definido se usa con sustantivos abstractos (la libertad, el honor); no así en inglés en que no hace falta[3].

11. Uso del plural (inglés) en vez del singular (castellano)[4]

En algunas frases en las que en inglés se usa el sustantivo en plural, en castellano se recurre al singular porque en este idioma se singulariza la información solicitada o se acentúa la individualidad aludida, o se hace referencia a cada persona en particular.

Ejemplos:

Write down the names and telephone numbers of the persons who will attend the course.
Anote el nombre y el número de teléfono de las personas que asistirán al curso.

---

[3]Véase sección sobre **Abuso del artículo indefinido en castellano**, pág. 237.
[4]Véase sección sobre **Uso del singular y del plural**, pág. 205.

En inglés se recurre al plural para hacer una generalización; en castellano se usa el singular:

International Women's Year
El Año Internacional de la Mujer

Inter-American Children's Institute
Instituto Internacional del Niño

Hemos visto en un documento en inglés una defectuosa versión de este instituto: "Inter-American Institute of the Child". En inglés el artículo definido **the** es asimismo un artículo demostrativo. Al decir "Inter-American Institute of the Child", podría preguntarse ¿Cuál niño?

Otro ejemplo:

Inspecciones por parte de técnicos y expertos norteamericanos revelan...

Aunque en este tipo de frases es muy frecuente el uso del sustantivo en plural (otros casos: "exámenes", "análisis", etc.), queda mejor el singular ya que el acto de inspección es uno sólo independiente del número de veces que se realice la inspección. En consecuencia, debería preferirse:

La inspección por parte de técnicos... revela.

12. Uso de mayúsculas

Los días de la semana, los meses del año, los gentilicios y los idiomas —entre otros vocablos— se escriben en inglés con mayúsculas, a diferencia del castellano que emplea la letra minúscula.

Ejemplos:

14 January 1975   14 de enero de 1975

He will return in the Spring	Regresará en la primavera
She speaks English very well although she is French	Habla inglés muy bien aunque es francesa.

13. Vigor (fuerza) de las preposiciones

En inglés las preposiciones tienen gran vigor, no así en castellano. Son también más numerosas en aquel idioma que en éste.

Ejemplo típico del inglés:

Mr. Wilson has arrived in Santiago for a 3-day visit.

Por contaminación con el inglés, muchas veces se traduce literalmente este tipo de frase:

El señor Wilson llegó a Santiago para una visita de tres días.

En castellano deberíamos decir: "... en visita de tres días", o bien, después de Santiago, "ciudad que visitará durante tres días".

Examinemos el ejemplo siguiente en castellano:

The need to continue the discussion on formulas for solving vital issues
La necesidad de continuar el diálogo **para** fórmulas de solución de asuntos vitales.

Evidentemente la frase cojea por falta de un infinitivo en castellano. En este caso, habría que buscar el que menos comprometa para agregarlo a la preposición; podría ser "encontrar" y, en consecuencia, se diría: "... para encontrar fórmulas de solución...".

En el ejemplo siguiente, que puede ser traducción del inglés, la redacción no es la propia del castellano:

> Las **ideas** de Kruschev **para** los cambios económicos y agrícolas despertaron una especial oposición a su mandato conforme presionaba **para** promover **ideas** experimentales que amenazaban el orden establecido.

Sin duda en inglés se ha dicho:

> **K"s ideas for economic and agricultural changes...".**

donde se aprecia el vigor de la preposición **for**. "Las ideas **para** los cambios" no es castellano; habría que decir: "acerca de cómo efectuar cambios económicos y agrícolas". O bien podríamos decir: "las ideas tras los cambios...".

El segundo **para** podría quedar ya que el primero ha desaparecido, o sustituirse por "con el fin de", "con el objeto de", etc. Inquietante es también eso de "ideas experimentales" que tal vez sean "ideas innovadoras".

La frase "programs **for** the improvement of living conditions" es muy frecuente. En este ejemplo también se aprecia la vitalidad de la preposición **for**. En general, esta frase se traduce literalmente: "programas para el mejoramiento de las condiciones de vida", aunque a veces se refuerza la preposición en castellano con un "destinados" o "encaminados". Quedaría entonces:

> "... programas destinados al mejoramiento de las condiciones de vida".

14. Predominio de la voz pasiva

En inglés prevalece la voz pasiva, en contraste con el castellano que prefiere la voz activa[5].

15. Importancia del modo de acción

En inglés se destaca el modo de la acción más que la dirección de ésta.

Ejemplos:

He swam across the river
(El) cruzó el río nadando

The train steamed into the station
El tren entró a la estación echando humo

16. Rigidez en las fórmulas epistolares

No cabe duda de que el castellano exhibe mayor variedad que el inglés en las fórmulas epistolares iniciales y finales, o frases de salutación y despedida. En castellano es posible —como decía uno de mis profesores de inglés— enviar no sólo saludos, sino recuerdos, abrazos y mucho más. El inglés se revela más parco en sus saludos y adioses[6].

17. Uso de siglas

En castellano se ha generalizado la tendencia del inglés a usar siglas formadas por las iniciales del nombre de una organización, organismo, entidad, agencia, etc. En inglés es práctica común agregar la sigla después de usar

[5]Véase sección sobre **La voz pasiva**, pág. 188.
[3]Véase sección sobre **Correspondencia**, pág. 311.

por primera vez el título completo; más adelante en el texto se usa por conveniencia la sigla únicamente.

Ejemplo:

National Organization of Women (NOW).

En castellano en casos como éste podría evitarse la repetición de la sigla aludiendo a "la organización", "esta organización" o la "mencionada organización", o usarse la sigla correspondiente en castellano, o en inglés si se utiliza la de este idioma.

Estas siglas —no cabe duda— simplifican el texto. Pero a veces se llega a la exageración en el uso de ellas y se abrevia, como lo hemos visto: Gobierno de la India por GOI sin siquiera haber explicitado al principio su significado. De repente el traductor se encuentra con ese GOI que nada le dice y trata de evocar algún organismo al que corresponda. Hasta que cae en la cuenta.

Conviene, pues, emplear por lo menos una vez el nombre completo de la entidad de que se trate con su sigla correspondiente entre paréntesis:

Banco Internacional de Reconstrucción y Fomento (BIRF).

Consejo Interamericano Económico y Social (CIES).

International Monetary Fund (IMF).

United Nations Industrial Development Organization (UNIDO).

Así ni el traductor ni el lector quedará en la luna al encontrarse con ella.

18. **Uso de títulos honoríficos**

En castellano se utilizan casi con exageración estos títulos que dan honor. No sólo se dice:

> El Presidente de la Asamblea General, sino también El Señor Presidente de la Asamblea General, o El Excelentísimo Señor Presidente de la Asamblea General.

Frecuente es también:

> El Honorable Delegado de X
> El Muy Honorable Delegado de X
> El Honorable Señor Agregado Cultural de la Embajada de...

A este respecto, recordamos la sugerencia de uno de los Delegados de Guatemala ante las Naciones Unidas, quien propuso que en la Asamblea General de la Organización se eliminara ese título de "Honorable" y se dijera simplemente "El Delegado de X", aduciendo: 1) que debería suponerse que todos los Delegados eran honorables, y 2) que con la supresión de esa sola palabra de los documentos de la Asamblea General no sólo se ahorraría tiempo, sino también una buena cantidad de dólares y dio la cifra exacta de las posibles economías por tal concepto.

Otros ejemplos en castellano:

> El señor Director de la Organización...
> El Ingeniero Juan Acevedo
> El Arquitecto José Pérez

Estos títulos no existen en inglés, aunque en los Estados Unidos de América se dice Mister President, Mister Vice-President, etc. Pero no es corriente decir Mister Director.

En cuanto a los títulos honoríficos, en inglés se reconocen solamente en la profesión médica (Doctor), en las Fuerzas Armadas (Colonel, Lieutenant) y en la Iglesia (Bishop, Archbishop).

19. Redacción de títulos y subtítulos

Véase la sección sobre Títulos y subtítulos (pág. 282).

20. Normas y signos de puntuación

Incluso en relación con este aspecto hay diferencias entre el inglés y el castellano[7].

En esta confrontación entre el inglés y el castellano, no hemos comentado las particularidades de género y número en el sustantivo español, la sustantivación del adjetivo, del infinitivo e incluso de frases enteras, ni otros aspectos que distinguen los dos grupos lingüísticos comentados. Sin embargo, creemos haber señalado aquéllos que interesan especialmente a la traducción.

Antes de comentar otros aspectos relacionados con la redacción, ahondaremos un poco en cinco diferencias fundamentales entre el inglés y el castellano —economicidad, la frase sujeto-predicado, uso de la voz pasiva, repetición y puntuación que mucho contribuyen a la buena expresión de ideas y que deben tener presente quienes manejen ambos idiomas.

[7]Véase sección correspondiente, pág. 199.

A. ECONOMICIDAD

Ya nos hemos referido a esta maravillosa cualidad, entre otras, del idioma inglés: su economicidad, en contraste con el castellano. En este idioma las palabras suelen ser más largas, especialmente los adverbios. En cambio, en inglés no sólo abundan los monosílabos, sino que se crean términos con gran facilidad agregando a sustantivos que suelen ser monosilábicos adverbios como sufijos y prefijos.
Ejemplos:

> **check-up**: averiguación, comprobación, examen, chequeo.
> **comb out**: redada.
> **count-down**: cuenta regresiva.
> **drive-in**: motocine.
> **dropout**: deserción o abandono escolar; desertor.
> **sit-down** strike: huelga de brazos caídos.

Por lo tanto, es muy posible que una página de texto inglés, al ser traducida, equivalga en castellano a una página y un tercio por lo menos.

Hemos señalado ya la importancia de expresar ideas en forma concisa, sin infringir las reglas gramaticales o sintácticas.

Conocí a un colega traductor que estaba a cargo de la publicación de una revista en el organismo donde trabajaba. A él le correspondía traducir los artículos que aparecerían en inglés y en castellano. Estaba muy consciente de lo difícil que era para él redactar con economía de recursos. Según me decía, tenían que darle más espacio que el presupuestado en la revista para que acomodara su texto en castellano. En realidad, "le daba demasiado hilo" a la redacción en su idioma.

En algunos casos, el castellano necesitará de más palabras debido a la estructuración de las frases.

Por ejemplo:

The environmental situation will depend on the solutions to economic, political and educational problems.

La traducción de esta frase no parece presentar problema alguno. El primer impulso es traducirla literalmente:

La situación ambiental dependerá de las soluciones a los problemas económicos, políticos y educativos.

Pero no cabe duda de que la redacción en castellano mejora si decimos:

La situación ambiental dependerá de la solución que se dé a los problemas económicos, políticos y educativos.

A veces es posible economizar palabras al traducir al castellano una o más frases de un texto inglés: el espacio economizado puede, entonces, dedicarse a acomodar un vocablo que en castellano requiera más palabras para entenderlo.

Otros ejemplos:

credit courses: cursos de valor académico, cursos que conducen a la obtención de un diploma.

180

hardship posts: lugares de servicio con difíciles condiciones de vida.

home leave: licencia para visitar el país de origen.

Explicaremos con otros ejemplos cómo proceder para reducir la longitud de frases y párrafos:

1.
Evitar la repetición, salvo cuando sea estrictamente necesario.

Ejemplo:

> Finalmente hay que **agregar** un recargo del 20% por concepto de IVA (el que se **agrega** a los valores señalados anteriormente).

Hubiera bastado con colocar después del infinitivo "agregar" el paréntesis (a los valores antes señalados) y terminar la frase con IVA.

2.
Eliminar muletillas y frases inútiles como "sin embargo", "no obstante"; "debe señalarse", "conviene agregar", o "señalar que"... etc.

3.
Mejorar la redacción (véanse ejemplos en la sección correspondiente y en la traducción comentada).

4.
Dividir los párrafos muy largos en frases (véase sección correspondiente).

5.
Sustituir el subjuntivo por el infinitivo a fin de aligerar la frase.

Ejemplo:

If the project were to materialize...
De concretarse el proyecto (En vez de "Si el proyecto se concretara...").

Women are not allowed to attend.
No se permite a las mujeres asistir (en lugar de "que asistan").

Catholics are expressly forbidden to use contraceptives:
A los católicos les está prohibido usar (en lugar de "que usen") contraceptivos.

6.

Eliminar algunos infinitivos que no necesitan en castellano. Por ejemplo, no siempre es preciso traducir al castellano el verbo inglés **to ensure**. En la frase siguiente:

He closed the door to ensure that no one would come in to disturb him.
Cerró la puerta para que nadie entrara a molestarlo (y no Cerró la puerta para asegurarse que nadie entrara a molestarlo).

7.

Suprimir frases de relleno de las que con frecuencia se abusa como "en el campo de", "en materia de", "en la esfera de" (**in the field of**); en términos de, en función de (**in terms of**); en el contexto de (**in the context of**).

"En el campo de" puede sustituirse por la preposición "en", con lo cual se ahorra espacio y se logra una redacción más directa. Por ejemplo: "experto en ecología", o "especialista en educación", en lugar de "experto en el campo de la ecología" o "de la educación". Se ha de evitar "en el campo de" y "en materia de" cuando en el mismo párrafo se habla de la vida del campo o de materia, ya sea orgánica o de otra índole. Por ejemplo: "El personal de campo, especializado en actividades relativas al campo". Si no es posible sustituir "personal de campo" por "personal sobre el terreno", se podría evitar el segundo "campo" por "actividades relativas al agro" o "actividades propias de la vida rural", o "actividades agrícolas".

La frase **in terms of** se traduce en general por "en función de", pero puede exigir una traducción más libre. Ejemplo:

> **The value of the peso has decreased In terms of the dollar.**
> El valor del peso expresado en dólares ha bajado.

B. LA FRASE SUJETO-PREDICADO

La frase primitiva es de tipo sujeto-predicado. Ejemplo: "El papel es blanco", "El hombre es un animal racional", "La semana tiene siete días" y otras más complejas como "El matrimonio, con su familia, vive en el campo".

En inglés la frase estandar tiene esa estructura. Excepto en las frases interrogativas y exclamativas, casi todas las oraciones adoptan esta forma. No hay otra manera de distinguir el sujeto del predicado. Cualquiera desviación de este modelo sujeto-predicado suena extraña o arcaica a los oídos ingleses.

> **The result of the 1911 conference may be outlined as follows: The question of splitting the freight between the companies remained pending. The trial tariffs were not put into practice and the Standing International Comission was never appointed. As a result each Company continued to charge the tariffs which it had already established.**

En castellano se diría:

> El resultado de la conferencia de 1911 puede esbozarse como sigue: Quedó pendiente la cuestión de dividir los fletes. No se aplicaron los aranceles experimentales y nunca se designó a la Comisión Internacional Permanente. En consecuencia, cada compañía continuó imponiendo los aranceles que ya había establecido.

Obsérvese que en castellano se ha evitado repetir la

palabra "resultado" que figura dos veces en el texto inglés.

El traductor del inglés al castellano no advierte a veces la monotonía que significa el uso constante de esta frase sujeto-predicado. Imaginemos un párrafo en que sus distintas frases tienen esa estructura:

"El invierno ha sido frío. El sol casi no se ha visto. La temperatura ha bajado radicalmente. Los pájaros ya no vienen al jardín. El viento y la lluvia no me dejan dormir".

La monotonía a que da lugar la semejanza estructural de las frases pudo haberse evitado aprovechando la mayor flexibilidad que permite el castellano y redactarse así:

"El invierno ha sido frío. Casi no se ha visto el sol. Ha habido un brusco descenso en la temperatura. Ya no vienen los pájaros al jardín. El viento y la lluvia no me dejan dormir".

Presentaremos ahora ejemplos tomados del inglés: en (1) su traducción literal, y en (2) una versión más castiza:

The primary application of these instruments is the analysis of organic compounds.
(1) La aplicación primaria de estos instrumentos es el análisis de compuestos orgánicos.
(2) Estos instrumentos se aplican (se usan) principalmente en el análisis de compuestos orgánicos.

This method makes possible the detection of the smallest particles.
(1) Este método hace posible la detección de las partículas más pequeñas.
(2) Con este método pueden detectarse las partículas más pequeñas.

185

Un ejemplo tomado del castellano:

> Su piel clara y su cuerpo proporcionado los hacían algo diferentes de la mayoría de los indígenas americanos.

Mejor:

> Por su piel clara y su cuerpo proporcionado eran algo diferentes de la mayoría de los indígenas americanos.

> Las riquezas potenciales y reales de Chile como país forestal **hacen prever** un mayor desarrollo en el mediano plazo para este sector.

Esta frase resulta evidentemente forzada por su construcción poco castellana. Al parecer, se tomó primero el sujeto y, luego, se construyó una frase muy poco feliz. Podría haberse dicho:

> A causa de las riquezas potenciales y reales de Chile como país forestal, se puede prever en este sector un mayor desarrollo a mediano plazo.

Otro ejemplo semejante:

> El reciente otorgamiento del Premio Nobel de la Paz 1984 al obispo anglicano sudafricano Desmond Mopilo Tutu, luchador contra la segregación racial en su país, **hace de interés conocer** el origen de esta distinción.

No cabe duda de que la redacción de la frase es deficiente. Si queremos dejar el sujeto en su forma actual y deshacer el nudo verbal, tendríamos que decir algo así: "nos alienta a conocer..." o "nos impulsa a conocer...".

Pero la redacción mejoraría considerablemente si en lugar de recurrir a la fórmula sujeto-predicado redactáramos la frase como sigue:

> Con motivo del reciente otorgamiento... en su país, interesa conocer...

La tendencia a comenzar frases con el sujeto para terminarlas como sea y con ayuda de cualquier verbo, da lugar a frases alambicadas como la siguiente:

> Este fenómeno (la densa neblina) que se hizo sentir desde las últimas horas del jueves, **derivó en que todos los vuelos** nacionales sufrieran sustanciales retrasos en partidas y arribos...

Más sencillo hubiera sido: "Debido a este fenómeno..." todos los vuelos experimentaron sustanciales retrasos...".

El traductor no debe dejarse guiar por la estructura de la frase en inglés, sino que redactarla en castellano con la naturalidad propia de este idioma.

C. LA VOZ PASIVA

La voz es el accidente que denota si la significación del verbo es producida o recibida por la persona gramatical a quien aquél se refiere. En el primer caso se denomina **voz activa**, como en "Yo amo" (**I love**); en el segundo caso, **voz pasiva**, como en "Yo soy amado" (**I am loved**).

En inglés la voz pasiva es más frecuente que en castellano. Esto tiene su explicación: por ser en inglés el orden de la frase sujeto-verbo-predicado, la voz pasiva se emplea en este idioma cuando el interés del orador o del escritor reside en el predicado, es decir, en la actividad del verbo más que en el sujeto activo, especialmente cuando este sujeto no reviste importancia.

Ejemplo:

People speak English all over the world.

En esta frase el vago sujeto "People" no interesa. Lo importante es "el hablar inglés". En consecuencia, se dice:

English is spoken all over the world.

En cambio, en castellano, prima la voz activa.
Ejemplos:

I wish to be left alone.
Quiero que me dejen sola (**voz activa**).
Quiero ser dejada sola (**voz pasiva**).

Women are not allowed to attend.
No se permite a las mujeres asistir.

He is allowed to do as he pleases.
Se le permite hacer lo que le plazca.

The atom was thought impossible to split.
Se creía que el átomo era indivisible.

No hay inconveniente en usar la voz pasiva en los mismos tiempos cuando se trata de verbos imperfectivos de larga duración, o permanentes, es decir, aquéllos cuya acción para ser perfecta no es necesario que acabe del todo. Son verbos de acción completa y mantenida, como oír, ser, ver. La audición, por ejemplo, aunque puede ser desde un comienzo perfecta, puede durar mucho tiempo; no acaba con el acto primero. A esta categoría pertenecen también querer, saber, nadar, etc.

Ejemplos:

John is loved by everybody.
Juan es querido por todos.

The news was known in the school.
La noticia era conocida en la escuela.

A diferencia de estos verbos, en los perfectivos la acción no es completa si no acaba del todo. A este grupo pertenecen aquéllos en que la acción termina, como **nacer, morir**. Luego que uno nace o muere, deja de nacer o de morir. Del mismo grupo son: comer, entrar, salir, saltar, etc.

D. REPETICION

Algunos autores, por descuido, pobreza de vocabulario o incapacidad para redactar bien, restan importancia a la repetición. Y no me refiero a la reiteración con fines artísticos, literarios o educativos, sino a la simple repetición.

Aunque Azorín decía: "No hay por qué tenerle miedo a la repetición", es un hecho que el castellano la tolera menos que el inglés; en esta lengua no preocupa.

En una misma frase se repite a veces el sustantivo, el verbo, el adverbio, el adjetivo, una preposición u otras partes de la oración, como se aprecia en los ejemplos siguientes:

> La tempestad **provocada** por los restos del ciclón "Hortensia" **provocó** importantes daños materiales y perturbó muy fuertemente las comunicaciones terrestres y aéreas del noroeste de España.

Uno de los verbos pudo haberse sustituido por un sinónimo como "causar" u "originar". En vez de "muy fuertemente" pudo decirse "en alto grado".

> En la época en que el desarrollo **era** sinónimo de asistencia técnica, el trabajo del consultor **era** decir a los gobiernos cuáles **eran** sus problemas

El pasaje procedente es tomado de un discurso escrito en castellano. No le molestaron a su autor los tres preté-

ritos imperfectos usados; de otro modo los habría eliminado para dejar la frase como sigue:

> En la época en que el desarrollo **era** sinónimo de asis-
> tencia técnica, el trabajo del consultor consistía en
> señalar a los gobiernos sus problemas.

Podría incluso haber sustituido el segundo **era** como se
ha hecho y mantenido el **eran** hacia el final de la frase si
se prefería una redacción más clara.
Otro ejemplo:

> Después de conocer **parte** del estudio del doctor K., no
> cabe la menor duda de que gran **parte** de semejante
> botín de drogas estaba destinado a la juventud.

Pudo haberse sustituido "gran parte de semejante botín" por "una proporción importante de semejante
botín".
En esta frase en inglés puede evitarse la repetición
del verbo o el sustantivo "cambio" si se utilizan sinónimos:

> **Changes** *in programs and methods or* **alterations** *wit-
> hin the Organization are conditions that could change
> your final analysis of employee responsibilities.*

Traducción literal:

> Las modificaciones en los programas y métodos o los
> cambios dentro de la Organización son condiciones
> que podrían cambiar su análisis definitivo de las res-
> ponsabilidades del empleado.

Mejor:

> Si se modifican los programas y métodos, o se efec-

túan cambios dentro de la Organización, podría variar su análisis definitivo de las responsabilidades del empleado.

En esta traducción se ha abandonado la fórmula sujeto-predicado y se ha dejado sin traducir la frase **are conditions that (son condiciones que)**, a fin de agilizar la oración; se subentiende que son condiciones.

A veces, salta a la vista la repetición en un mismo párrafo de formas verbales semejantes que pudieron haberse sustituido por otro verbo. Ejemplo:

Con limosnas se iniciaron las obras, porque los fondos previstos de la real cédula **fueron** ocupados en la causa patriota. Como **fueran** insuficientes, se retuvieron, hasta el retorno de las autoridades españolas.

En lugar de "fueron ocupados en" pudo haberse dicho "se dedicaron a" y en lugar de "fueran" hubiera quedado muy bien "resultaran".

En el párrafo siguiente, de redacción poco feliz, no se supo evitar la repetición:

La coordinación para **el rescate de las víctimas** se realizaría durante el día de hoy, lo que permitiría iniciar **el rescate de las víctimas mañana**, siempre y cuando el clima se presente adecuado.

La segunda frase repetida pudo haberse sustituido por "esa tarea". Procede señalar también que la frase "siempre y cuando", es traducción del inglés **if and when**, pero en castellano no puede usarse así puesto que "siempre" requiere del relativo **que** y "cuando" no lo necesita. Hubiera bastado con decir "siempre que el tiempo lo permita (en vez de "el clima se presente adecuado"). Otra redacción del mismo pasaje:

> La coordinación del rescate de las víctimas se realizaría en el día de hoy, lo que permitiría iniciar esa tarea mañana siempre que el tiempo sea adecuado.

Repetición de la preposición **con**:

> El Japón es hoy día una de las principales potencias en asuntos pesqueros y ha logrado desarrollar una tecnología de alta eficiencia, siendo una de las naciones **con** más alto consumo de productos del mar, **con** grandes volúmenes de exportación.

Después de la palabra "eficiencia" pudo haberse colocado punto y coma (;) para iniciar una nueva frase y con una mejor redacción se habría eliminado ambas preposiciones que no hacían falta. Se hubiera continuado así: "es una de las naciones que tiene el más alto consumo de... productos del mar y exporta en grandes volúmenes".

Además, el verbo "desarrollar" no es el más apropiado en este caso; debió haberse sustituido por "crear", "idear", etc.

En la frase siguiente referente a la prohibición, por un tribunal yugoslavo, de dos libros de autores de esta nacionalidad no cabe duda de que es una traducción y de que la repetición es demasiado obvia:

> **Según** la agencia noticiosa yugoslava Tanjug, se trata de una antología de poesía servia, que **según** los jueces "lesiona la imagen de la República Federal y el honor del desaparecido Presidente Josip Broz Tito", y de una obra titulada "U Zaptu" ("En cadenas") que, **según** la

sentencia, contiene "una serie de mentiras y ultrajes al vigente orden estatal".

El segundo "según" pudo haberse sustituido por "**en opinión de** los jueces" y el tercero por la frase "que, **se aduce en** la sentencia". La puntuación podría mejorarse colocando las dos frases comentadas entre comas; debería eliminarse la coma después del adjetivo "servia".

Aunque en otra sección de este volumen presentamos ejemplos del abuso del verbo **producir**[8], lo incluimos en esta sección como ejemplo de verbo repetido y decididamente mal empleado:

> Una masa de aire frío siberiano que se propagó hoy a través de Europa **produjo** las temperaturas más frías del siglo en algunas ciudades...

Y poco más adelante:

> La tormenta **produjo** el cierre de los dos principales aeropuertos de la capital.

Parecería que el cronista no encontró otro verbo mejor al cual recurrir. Pudo haberle dado dramatismo a la noticia con un "desencadenó" o "desató" o haber dicho simplemente "trajo las temperaturas más frías". En el segundo caso hubiera sido más sencillo y gráfico: "La tormenta obligó a cerrar los dos principales aeropuertos". En vez de "a través de Europa" bastaba con "por Europa" o "por toda Europa".

Por tratarse de la traducción de un artículo del Director de NASA, escrito, sin duda, en inglés, me referiré a la

---

[8]Véase **Verbos de los que se abusa con frecuencia en castellano**, pág. 86.

repetición del verbo "desarrollar", compañero de infortunio de "producir", por el abuso de que es objeto:
Leemos:

> Este (desafío) será **desarrollar** una estación permanente tripulada en el espacio... Esperamos que nuestros amigos y aliados acepten la invitación del Presidente Reagan de acompañarnos en el **desarrollo** de esta estación espacial... Una base lunar internacionalmente **desarrollada** podría resultar un atractivo interesante... Esa tecnología tendrá que **desarrollarse** si alguna vez vamos a explotar el subsuelo de la luna.

Incluso si en inglés se ha utilizado el verbo **to develop** en todos esos casos, el traductor al castellano debería haber introducido variedad utilizando de preferencia **establecer, instalar** o **construir** una base o una estación; en el último caso **idearse** hubiera sido acertado.
Otro caso de repetición de verbos:

> Numerosos estudios agroeconómicos realizados sobre la frambuesa, la presentan como un cultivo muy rentable, lo que **ha permitido** un gran incremento en la superficie plantada, que **permite** establecer un aumento notable en la oferta de este producto.

La forma verbal "realizados" sobra; la coma (,) después de frambuesa debería estar después de "rentable". Las dos formas verbales "ha permitido" y "permite" en el contexto de que se trata no eran necesarias. La repetición del verbo se elimina si después de "rentable" se dice:

> ... por lo cual se observa un gran aumento en la superficie plantada; esto permite establecer un aumento notable...

Un ejemplo más:

> Sólo un patético grupo de falashas logró **llegar** a Israel en 1982, y una vez que los sufrimientos de este pueblo **llegaron** a la atención del público se permitió que el número de refugiados aumentara...

La segunda forma verbal pudo haberse sustituido por "**se señalaron** a la atención del público" o "fueron dados a conocer al público".

En el ejemplo siguiente se repite un mismo vocablo con dos acepciones distintas, lo que es preciso evitar:

> Por el **contrario**, desarrollan una campaña **contraria** a las proposiciones gubernativas.

Eso de "**desarrollan una campaña**" es pobre: "organizar una campaña" o "emprender una campaña" son las fórmulas consagradas; en el ejemplo podría decirse "han desatado una campaña".

En lugar del adjetivo "contraria" pudo haberse dicho "en conflicto con" o "incompatibles con" las proposiciones gubernativas.

Ejemplo de repetición de preposiciones:

> La época **para** plantar los bulbos de cebolla, **para** producir semillas, es el mes de agosto.

El segundo "para", que anuncia el objetivo que se persigue debió haberse sustituido por cualquiera de las frases siguientes: "con el fin de", "con el objeto de", "a fin de", "con el propósito de", "con miras a", etc.

Otro ejemplo:

> **Para** producir pieles de conejo **para** la exportación se necesitan altos volúmenes.

La segunda preposición pudo haberse sustituido por la frase "destinadas a". En vez del infinitivo "producir", que no es un acierto, podría haberse usado "obtener". La frase, entonces, quedaría así:

Para producir pieles de conejo destinadas a la exportación...

Más elegante y más formal es "a los efectos de":

A los efectos de reforzar el sentido del preámbulo, podría agregarse un nuevo párrafo...".

Por las posibilidades de mejorar la redacción y de eliminar su sabor inglés, es interesante el ejemplo siguiente:

Reagan aprobó una propuesta del Pentágono **para** que la "línea de emergencia" Washington-Moscú sea ampliada **para** permitir el intercambio de fotografías y diagramas.

Con una mejor redacción se hubiera abreviado la frase:

Reagan aprobó la propuesta del Pentágono de ampliar la "línea..." con el fin de permitir...".

O bien:

... la propuesta del Pentágono relativa a la ampliación de la "línea...".

En realidad, no hay motivo justificado para incurrir en estas repeticiones. Se dispone de sinónimos y la redacción debería ayudar a evitarla.

Con esas obras, el pianista **partirá** al Norte, donde a **partir** del 7 de febrero actuará en Iquique, Antofagasta, etc.

La forma verbal "partirá" debió evitarse por su similitud con "partir" en la frase preposicional que anuncia la fecha. Pero pudo haberse dicho "se dirigirá", "se trasladará" o "viajará". También pudo haberse sustituido la frase "a partir del" por "a contar del".

En el ejemplo siguiente, la segunda preposición y el artículo definido pudieron haberse reemplazado por "acerca del":

> Total silencio mantenían hoy Washington y Moscú **sobre** una "broma" **sobre** el bombardeo de la Unión Soviética...

Repetición de un adjetivo:

> La labor de rescate tardó más de una hora debido a la **Intensa** lluvia derivada del **Intenso** temporal que afecta a la zona.

Bastaría con haber sustituido el primer adjetivo por "abundante" o "copiosa".

Repetición de una frase:

> Los animales domésticos, tanto las vacas como los caballos, contraen el virus de la rabia **a través de** peleas con los animales salvajes enfermos. Sus amos pueden recibir el virus sin saberlo **a través de** un inocente rasguño.

La frase subrayada, que se ha convertido en una cómoda muletilla, no tiene razón de ser. En ambos casos pudo haberse sustituido por una preposición "**en** peleas" y "**con** un rasguño". También pudo haberse dicho "sin saberlo: basta un inocente rasguño".

E. LA PUNTUACION

Señalaremos algunas diferencias entre el inglés y el castellano en lo que respecta al uso de diversos signos de puntuación.

Signos exclamativos e interrogativos. En inglés éstos se usan sólo al final de la exclamación o de la interrogación; en castellano los hay iniciales y finales:

What a beautiful day !:	¡Qué hermoso día!
How marvellous !:	¡Qué maravilloso!
Have you seen my new car?:	¿Has visto mi nuevo coche?
When are you coming back?:	¿Cuándo regresas?

Por imitación del inglés, se sigue a veces la práctica de ese idioma y se coloca sólo el signo exclamativo o interrogativo final.

La coma. El inglés usa la coma (,) después de las frases de saludo en la correspondencia personal, y dos puntos (:) en las cartas comerciales. El castellano usa los dos puntos en tales casos:

Dear John,	Querido Juan:
Mr. President,	Señor Presidente:
Sirs:	Señores:
Dear Sirs:	Muy señores míos:

Los dos puntos. Mientras que el inglés usa coma (,) en la cita directa, el castellano emplea los dos puntos (:) o la raya:

> **I was looking at him and he seemed to say to me, "Are you seeing"?**
> Yo lo miraba y él parecía decirme con el gesto: ¿Estás viendo?

> **"I shall never do it", he said.**
> No lo haré nunca —dijo.

> **He said, "I shall never do it".**
> El dijo: No lo haré nunca.

Más frecuente que en inglés es el uso en castellano de los dos puntos en la proyección hacia adelante. El inglés usa en este caso la coma (,)o el punto seguido:

> **I am a villain, I admit it.**
> Yo soy un malvado: lo admito.

> **I have never seen her, I admit.**
> **I have never seen her. I admit that.**
> Nunca la he visto: lo admito.

Uso de comillas en cita directa. La cita no se cierra en castellano.

> **"That is not so", she corrected me. "He does not want to get married".**
> —No es así —me corrigió. El no quiere casarse.

Cuando se usan rayas para destacar una cita y la cita termina un párrafo, en castellano no se indica el fin de una cita.

La raya. A veces el inglés usa raya cuando en castellano se usarían dos puntos (:), coma (,) u otro signo de puntuación.

Ejemplos:

> **It is not an animal after all — it is a company, an assemblage.**
> Después de todo no es un animal: es una compañía, un conjunto.

En este caso, la raya explica y complementa lo que antecede.

> **We explode clouds of aerosol, mixed for good luck with deodorants, into our noses, mouths, underarms, privileged crannies — even into the intimate insides of our telephones.**

En este ejemplo la raya introduce, con cierto asombro, un nuevo elemento a la lista precedente. Una posible versión:

> Hacemos explotar nubes de aerosol, mezclado con deodorantes para que nos acompañe la buena suerte, en la nariz, la boca, las axilas, en grietas privilegiadas, e incluso en los recónditos interiores de nuestros teléfonos.

Este ejemplo, además de ser un buen ejercicio de traducción, exhibe claras diferencias entre los dos idiomas que comentamos en cuanto al uso del posesivo y de plurales aplicados a partes del cuerpo humano.

Mayúsculas. En inglés se escriben con mayúscula inicial los días de la semana, los meses, las estaciones del año y nacionalidades; en castellano se usa letra minúscula:

> **I'll see you on Monday:**   Te veré el lunes.

We were here in September:	Estuvimos aquí en septiembre.
It feels like Spring:	Parece (que estamos en) primavera.
The French flag:	La bandera francesa.

En inglés los títulos honoríficos llevan mayúscula inicial, no así en castellano salvo en las abreviaciones (Muy Sr. mío):

| The Prince of Wales: | El príncipe de Gales. |
| The Emperor of Japan: | El emperador de Japón. |

Los idiomas se escriben con mayúscula en inglés, a diferencia del castellano que usa minúscula:

| My son is studying Italian: | Mi hijo estudia italiano |

Generalmente, los adjetivos no llevan mayúscula inicial, excepto en títulos o al principio de la sentencia:

| The Black Continent: | El continente negro. |
| Blue Nile: | El Nilo Azul. |

Los títulos de periódicos se escriben con mayúscula inicial en ambos idiomas y se subrayan o se escriben con letra cursiva:

| The New York Times: | Las Ultimas Noticias. |

En otros títulos en castellano sólo se escribe con mayúscula inicial la primera palabra, salvo nombres propios, y también se subrayan.

| Uncle Tom's Cabin: | La cabaña del tío Tom. |

La vida es sueño.
Historia de la literatura chilena.

En nombres propios constituidos por un sustantivo común y un adjetivo, el adjetivo suele escribirse con mayúscula; el sustantivo común a menudo lleva la mayúscula:

the Red Sea: el mar Rojo, o el Mar Rojo.
the New World: el Nuevo Mundo.

Pero cuando el nombre geográfico está constituido por un sustantivo común y un sustantivo propio, en castellano se usa mayúscula.

Lake Erie: El Lago Erie.
                         El Lago Osorno.
                         El Estrecho de Magallanes.
                         La Ciudad de México.

En algunos casos no parece haber regla fija acerca del uso de las mayúsculas:

the Second World War: ¿la Segunda Guerra Mundial?
                           o
                           ¿la segunda guerra mundial?

Podría argüirse en favor de ambas versiones.

Números ordinales. En castellano se usan con menos frecuencia que en inglés:

Louis the Fourteenth: Luis xiv.
We are living in the 20th   Vivimos en el siglo xx.
century:
the Twenty-second Pan   la XXII Conferencia
American Conference: Panamericana.

Números enteros y decimales. En inglés los números enteros se separan con coma (,) y los decimales con punto (.); en castellano sucede lo contrario:

Inglés	**Castellano**
1,342,000.10 dólares	1.342.000,10 pesos.
$ 12.17	$ 12,17 (pesos).

En la mayoría de los países de habla hispana se sigue esta práctica. En algunos países cercanos a los Estados Unidos de América prevalece el modelo estadounidense, por ejemplo en México y países centroamericanos.

La barra diagonal. En inglés separa números y a veces relaciones; en castellano, el simple guión es usado en tales casos:

9/12	9-12
cost/benefit:	costo-beneficio
cost-benefit	
(es más usado)	
input-output:	insumo-producto

Por desconocimiento o descuido se separan a veces con punto aparte párrafos que debieran haber sido uno solo. Sin embargo, al traducir un texto y a fin de mantener la correspondencia entre el inglés y el castellano, no conviene introducir modificaciones a este respecto a menos que pueda refundirse el texto original.

El cambio de puntuación no es aconsejable en documentos oficiales —recomendaciones, resoluciones, articulados de acuerdos, convenios, convenciones— debido a que al citarse pasajes de ellos se perdería esa correspondencia.

F. USO DEL SINGULAR Y DEL PLURAL

En algunas frases en las que en inglés se usa el sustantivo en plural, en castellano se recurre al singular porque en este idioma se singulariza la información solicitada o se acentúa la individualidad aludida, o se hace referencia a cada persona en particular.

Ejemplos:

> **Write down the names and telephone numbers of the persons who will attend the course.**
> Anote **el** nombre y **el** número de teléfono de las personas que asistirán al curso.

En consecuencia, es incorrecto decir:

> Inés de Suárez habría cortado las cabezas de siete caciques. *no*

En lugar de:

> Inés de Suárez habría cortado **la** cabeza a siete caciques. *sí*

O este otro ejemplo:

> Los participantes levantaron los brazos derechos para indicar acuerdo. *no*

a caso tiene muchos brazos

En vez de:

> Los participantes levantaron **el** brazo derecho para indicar acuerdo. *sí*

En inglés se recurre al plural para hacer una generalización; en castellano se usa el singular:

International Women's Year
El Año Internacional de la Mujer

Inter-American Children's Institute
Instituto Interamericano del Niño

Hemos visto en un documento en inglés una defectuosa versión de este instituto: "Inter-American Institute of the Child". En inglés el artículo definido **the** es asimismo un artículo demostrativo. Al decir "Inter-American Institute of the Child" podría preguntarse: ¿Cuál niño?

Otro ejemplo en castellano:

no   Inspecciones por parte de técnicos y expertos norteamericanos revelan...

Aunque en este tipo de frases es frecuente el uso del sustantivo en plural, queda mejor el singular ya que el acto de inspección es uno solo, independiente del número de veces que se realice la inspección. Por esto, debería preferirse:

Sí   **La** inspección por parte de técnicos... revela...

Esto mismo se aplica a los sustantivos "exámenes", "análisis", etc.

En el caso de sustantivos que en inglés se escriben en plural por su sentido colectivo y concordancia numérica, en castellano también queda mejor el singular:

The yields of the holdings increased.
Sí Aumentó el rendimiento de los predios. (En lugar de
no Aumentaron los rendimientos de los predios).

The prices (costs) of several items were maintained.
Se mantuvo el precio (el costo) de varios artículos.

SINONIMOS

No cabe duda de que mientras más amplio sea el vocabulario del traductor, mejor preparado estará para realizar con eficiencia su tarea. El vocabulario se enriquece con sinónimos, es decir, con vocablos o expresiones que tienen una misma o muy parecida significación, o alguna acepción equivalente. En esta categoría habrá sustantivos, adjetivos, verbos, adverbios y otros elementos de expresión. En general, el traductor necesitará una gran cantidad de sinónimos para dar variedad a sus textos, como asimismo palabras de uso frecuente en la vida diaria, pues son precisamente estos vocablos sencillos los que abundan en casi todo tipo de documento.

La pobreza de vocabulario conduce a la monotonía lingüística. Para evitar la repetición fatigosa es útil llevar en la mente por lo menos dos o tres sinónimos, lo que no es difícil ya que el castellano abunda en ellos.

En los ejemplos siguientes se indican entre paréntesis los posibles sinónimos del adjetivo seleccionado:

el trabajo **fuerte** (intenso, pesado) (más que el trabajo duro),

la **fuerte** (pronunciada, notable) alza del dólar,

la **fuerte** (acentuada, marcada) disminución de ingresos,

la **fuerte** (estrecha, íntima) relación entre...,

la **fuerte** (importante, enorme) pérdida de las reservas internacionales, la **fuerte** (acerba, dura) crítica del partido al "frente civil",

los **fuertes** (cuantiosos, considerables) gastos,

un **fuerte** (acentuado, arraigado) prejuicio,

una **fuerte** (inclinada, escarpada) pendiente.

El sistema de defensa basado en el espacio ha despertado **fuertes** (acerbas, encarnizadas, enconadas) controversias dentro de los Estados Unidos.

E incluso alguien ha opinado:

"que renacerá el interés por las noticias **fuertes**"
¿Se ha querido decir "crudas" o "sensacionales"?

Y explica:

"cuando las personas perciben que las cosas están fuera de control, se genera la noción de que es mejor saber lo que está pasando".

Hay **fuertes** motivos para creer que...

Posibles sinónimos serían "justificados" o "fundados". Otros significados del adjetivo **fuerte**: sólido, tenaz, violento; potente, muy vigoroso y activo (vino, licor, tabaco); terrible, grave, excesivo; e incluso "con vehemencia" (con fuerza).

Interesante sería hacer una lista de sinónimos del adjetivo **gran** (grande), muy frecuente, muy cómodo y muy poca cosa en comparación con otros que pudieran sustituirlo en su acepción tanto física como abstracta.

A menudo será fácil sustituir en castellano verbos como decir, examinar, subrayar, de mucha utilidad en la redacción de actas y otras situaciones. A título de ejemplo, ofrecemos algunos sinónimos de estos verbos:

> **decir**[9]: apuntar, indicar, opinar, expresar, hacer notar, mencionar, observar, señalar.
> **examinar**: abordar, analizar, considerar, estudiar, tomar en consideración, pasar revista a.
> **subrayar**: acentuar, enfatizar, destacar, recalcar, hacer hincapié en.

El traductor debe asimismo tener a mano un acervo de frases verbales para dar variedad a un texto. Por ejemplo: **to finish the job** no sólo puede traducirse por "terminar el trabajo", "finalizar el trabajo", sino también por "terminar la tarea", o "rematar la obra", "acabar la obra".

Otro ejemplo: **to end the preparations** podría traducirse por "ultimar los preparativos", "poner término a los preparativos", etc.

Y no sólo conviene llevar consigo una buena colección de términos sinónimos, sino también frases, expresiones y giros de uso frecuente.

Por ejemplo:

> **above-mentioned**, como en **the above-mentioned author**.

Es preferible traducir esta frase por "El autor antes mencionado" o "ya mencionado" en lugar de "arriba mencionado", pues el nombre del autor bien puede quedar al pie (abajo) de la página anterior.

---

[9]Una lista más extensa de sinónimos de este verbo figura en **Verbos de los que se abusa con frecuencia en castellano**, pág. 86.

Del mismo modo, el **document referred to above** podría ser el "documento mencionado", el "documento antes mencionado", el "documento al que se ha hecho referencia", el "documento de marras", el "documento en cuestión", el "documento precedente", etc.

Son también útiles las frases que con frecuencia se usan como pie de página para precisar una oración previa; por ejemplo **Unless otherwise stated** que podría traducirse por "A menos que se indique otra cosa" o "Salvo indicación en contrario". Asimismo, en cuadros estadísticos o de otra índole en informes o documentos se suelen repetir frases que tienen variantes o sinónimos. Puede que en inglés se diga:

> **In the following table there is a summary of production in the region.**

La traducción "**hay** un resumen de la producción", bastante pobre, podría sustituirse por "se presenta", "se consigna", "figura", "consta" un resumen.

Por escasez de sinónimos se inventan a veces vocablos como si no se dispusiera de los necesarios.

Ejemplo:

> Cualquier hombre **criterioso** se daría cuenta de que X posee los conocimientos técnicos para desempeñar el cargo de...

El comentarista pudo haber dicho "hombre de criterio", "sensato", "hombre juicioso", etc., pero le fue más fácil —al parecer— transformar el sustantivo "criterio" en adjetivo.

El conocimiento de sinónimos es tan importante como el de los significados y matices de un mismo vocablo. El traductor debe familiarizarse con las diversas acepciones de un término para poder discernir el sentido en que es usado en determinado caso. ¿Cuántas veces en presencia de un párrafo cualquiera nos asalta la duda acerca del significado de un vocablo a veces común y corriente, pero empleado con un sentido desconocido hasta entonces?

Algunos vocablos del inglés (también sucede esto en castellano) tienen tal variedad de significados y matices que es preciso estar en guardia para no caer en error.

Veamos algunas acepciones de un sencillo sustantivo: **body**.

cuerpo (humano)
masa o extensión de agua (**body of water)**
cuerpo (de un texto, discurso, etc.)
tronco, torso (de una estatua)
caja o cama (de un carruaje)
armazón (de un aeroplano)
carrocería (de un coche)
nave (de una iglesia)
entidad, gremio, corporación
consistencia, espesor, densidad
En la frase **body politic**: estado o nación.

Otro sustantivo:

> **fee**: honorario, derechos; emolumentos, estipendios, gajes, retribución, gratificación, propina; cuota de ingreso (en clubes, sociedades, instituciones docentes).

Del mismo modo, un adjetivo como **quiet** significará:

> sereno, tranquilo, callado, silencioso; sencillo, modesto, sincero, ameno, apacible, inactivo (mercado, comercio).

El traductor debe, entonces, interesarse por conocer el mayor número posible de matices que encierra cada vocablo para así poder elegir el que mejor calce en el texto de que se trate.

Sin duda, es cómodo valerse de una misma palabra para expresarlo todo, pero —como dice el proverbio— en la variedad está el gusto y esto se aplica asimismo al idioma. Sin exagerar, se entiende.

ESTILO

En términos generales podríamos definir el estilo como ese sello propio que el escritor da a sus obras por virtud de sus facultades y medios de expresión. Es la calidad que resulta al elegir entre estos medios de expresión. En todos los tiempos se han ensalzado entre las características del estilo la naturalidad y la sencillez de la forma. Esto se puede lograr ordenando los vocablos y conceptos de modo que unos sigan tras otros. Se ha dicho que **escribir bien** es **pensar bien** (o incluso **sentir bien**: sonar bien) y **expresarse con claridad** e incluso con equilibrio interior. Nos estamos refiriendo al estilo común y corriente y no al de vuelo artístico, cuyos atributos tal vez sean distintos.

Estas ideas sobre el estilo conjuntamente con las sugerencias sobre redacción formuladas en otras secciones del presente volumen podrían servir de pauta en el manejo del lenguaje que comúnmente necesita el traductor, como asimismo el autor de informes, monografías, trabajos de investigación y otros.

Muchas de estas sugerencias tienen que ver con el uso de un estilo adecuado para la traducción directa, clara y concisa de los documentos que circulan en los organismos nacionales e internacionales. Estos documentos son en su mayoría de tipo informativo y versan sobre asuntos muy concretos: administración, gestión administrativa, economía, agricultura, presupuesto, tecnología, ecología, recursos humanos, salud y otros. Si el traductor conoce la terminología de determinada materia, no tendrá dificultad en seguir el texto original. Quizá pueda ir "en primera velocidad" si el texto está bien redactado, es decir, si le permite captar bien las ideas.

Un documento sobre demografía tratará, por lo general, del aumento o disminución de la población en porcentajes, de las causas de dicho aumento o disminución, de la migración y emigración de las zonas rurales a las zonas urbanas, de las tasas de crecimiento expresadas en cifras brutas o netas, medias o medianas, de la mortalidad infantil debida a ciertas enfermedades y otros aspectos.

En la traducción del presupuesto de un organismo de las Naciones Unidas, la terminología se referirá a ingresos y gastos, partidas presupuestarias, sumas asignadas a determinado rubro, incremento y disminución de fondos, etc.

Por muy familiarizado que esté el traductor con el vocabulario de determinada especialidad, siempre encontrará en el original frases y expresiones nuevas que lo pondrán a prueba. Tendrá que indagar y enterarse de los términos en boga que han desplazado a otros. Por ejemplo: deberá saber que en vez de "plana mayor", o "alto nivel jerárquico", tal vez se prefiera "cúpula administrativa" o en lugar de "información" "transparencia plena" (por ejemplo, en el proceso legislativo, las deliberaciones y trámites en torno a proyectos de ley, etapas por las que éstos han pasado, etc.). En general, mucho más exige del traductor un texto de sociología, psicología o educación, disciplinas que emplean una terminología más abstracta, o términos que a veces no tienen equivalencia en castellano.

Puede suceder que el traductor no esté muy versado en estas disciplinas y que deba consultar algún libro, capítulo o las páginas de obras especializadas para formarse una idea de la materia ante sí. En estas investigaciones, posiblemente encuentre lo que busca y algo más.

Se ha de preferir el lenguaje claro, sencillo y sobrio al estilo demasiado florido. Se han de evitar las repeticiones excesivas, la cacofonía, las ambigüedades en la construcción de frases.

Importante es también el equilibrio entre los elementos de una oración; las frases cojean a veces porque en una enumeración se ha dejado entrar un elemento extraño a la categoría de los demás integrantes de una oración.

Ejemplo:

> Simplificación, evitar reiteraciones, sobriedad, vuelta a las fuentes, fueron las normas que guiaron la reforma llamada del Concilio de Trento.

Se observará que de las cuatro "normas" mencionadas, tres están expresadas en sustantivos o frases iniciadas por un sustantivo y una en infinitivo: "evitar reiteraciones". Pudo haberse dicho "eliminación de reiteraciones". El traductor o revisor tiene que adueñarse de la frase para poder manejarla bien.

No debe abusarse de la partícula **que** como elemento de enlace o como relativo. A veces se usa con exceso. Igualmente desagradable es el abuso de conjunciones causales como **pues** y **ya que**. Hay que apartarse de la monotonía en la construcción.

En informes y documentos científicos en inglés abundan frases como **It requires**... y en castellano se encuentra con frecuencia en su traducción directa "Requiere..." o "Ello requiere...". Puede que ninguna de estas dos versiones calce del todo bien en el texto; se podría recurrir a otras:

Para ello es necesario...
Hay que (Habrá que)...
Para esto se requiere tiempo y dinero.
Esto exige...

Especial esmero hay que desplegar en la traducción de figuras de estilo para no caer en el ridículo; muchas veces habrá que buscar su equivalencia en el idioma al cual se traduce. El castellano abunda en comparaciones abstractas, a diferencia del inglés que se mantiene más en el ámbito de las ideas concretas.

Deben evitarse los párrafos largos. Nada hay de objetable acerca de tales párrafos si son claros, pero el lector no podrá asimilarlos ni descomponerlos si no están redactados con claridad.

En traducción es de suma importancia emplear el estilo que más convenga al texto original de que se trate. La mayoría de los textos que hoy día se dan a traducir son textos sencillos, directos y que deben ser vertidos en un estilo también sencillo y libre de rebuscamiento.

LONGITUD DE LOS PARRAFOS

La longitud de frases y párrafos varía según los autores. Algunos prefieren la frase breve, el toque de pluma certero; otros, la frase larga hecha de diversas ideas, bien o mal hilvanadas. No hay ningún argumento en contra de escribir en párrafos largos si las ideas están expresadas con claridad. Pero el lector no podrá seguir el hilo si dichos párrafos no están bien redactados, o quedará sin aliento antes de llegar al fin.

Ejemplo de un párrafo que resultó largo por no haberse separado debidamente las ideas:

> La madre del diplomático, acompañada de algunas de sus nietas, su nuera e hijo y de un par de amigas, se mostró muy afectada por la dolorosa noticia, que le llegó en momentos en que esperaba la próxima llegada de su hijo Carlos desde Venezuela, la que se produciría el 20 de este mes, ya que el Embajador había sido designado por la Cancillería para presidir la misión de amistad que viajará a China en un avión de la Fuerza Aérea chilena.

La primera frase pudo haberse interrumpido con la palabra "noticia". Se hubiera continuado con: "Esta fue recibida en momentos en que...". Después de "Venezuela", pudo decirse "prevista para el 20 de este mes" o simplemente "el 20 de este mes"; con esta frase terminaría la segunda frase. La tercera y última comenzaría con: "El Embajador había sido designado..." y terminaría con "Fuerza Aérea chilena".

Algunos párrafos pecan de extensos, o parecen serlo, porque en ellos se enlazan innecesariamente ideas ajenas al asunto principal.

Ejemplo:

> Los restos de uno de esos chilenos que vivieron en Tahití y en Moorea descansan hoy día en el cementerio católico de Papeete, capital de Tahití, a orillas del mar, cuya brisa mueve uno que otro hilo de yerba que ha crecido en la superficie de la tumba que, según la costumbre tahitiana, es cubierta cada año con una capa de arena blanca muy fina.

En este pasaje una frase debería haberse terminado con las palabras "a orillas del mar". Hasta ahí la información tiene cierta unidad. Lo que sigue, que no es novedoso, se enlazó un poco a la fuerza con "cuya brisa...". Se podría haber empezado otra frase redactada más o menos así: "Ahí la brisa marina mueve...".

El ejemplo siguiente no sólo peca de largo, sino que su redacción es defectuosa. Hay que llegar al final para hacer sentido:

> Interpretando a sectores cada vez más extensos, la expresión conjunta de ambas aspiraciones puede traducirse en algunas proposiciones concretas: **sin un consenso político amplio**, que reúna a todas las fuerzas genuinamente democráticas del país en torno a la necesidad de mantener, bajo cualquier gobierno futuro, cierto orden y disciplina internos, lo que implica excluir del quehacer democrático a quienes hacen profesión declarada de ideologías totalitarias y del uso de la violencia como herramienta política; **sin igual consenso en torno** a renunciar a estrategias fundadas en la rebeldía contra la actual institucionalidad y en la desobediencia civil; en fin, **sin que lo haya** en torno al reconocimiento de la obra institucional del actual régi-

men parece difícil que el país pudiera prescindir del estado de excepción.

Su autor se refiere a "algunas proposiciones concretas" y procede a mencionarlas. Todas ellas empiezan con la preposición sin: "sin un consenso político", "sin igual consenso en torno" y "sin que lo haya en torno al". Y dice que sin esto "parece difícil que el país pudiera prescindir del estado de excepción". Esta es la proposición única que formula y su materialización depende de tres condiciones, las que empiezan con "sin". En consecuencia, se debió empezar por el principio: anunciar que "parece difícil que el país pudiera prescindir del estado de excepción sin esto, lo otro y lo otro". En tal caso, podría haberse dicho muy al principio "la expresión conjunta de ambas aspiraciones puede traducirse **en términos concretos**" en la proposición mencionada, cuya realización no se logrará "sin un consenso político..."; "sin igual consenso..." y "sin que lo haya en torno a...".

Si el autor persiste en sus "proposiciones concretas" tendría que redactar el párrafo de otra manera.

IDIOMA

¿Qué idioma usar en una traducción de tipo internacional? Es indudable que deberá emplearse la terminología correcta que sea entendida por el mayor número de países de habla hispana. Habrá que evitar regionalismos o localismos propios de determinada región o zona. En consecuencia, nada de chilenismos ni de tropicalismos. Pero si el documento está destinado a un gobierno y es, por ejemplo, "un estudio sobre el maíz en Guatemala", habría que emplear la palabra "elote" en vez de "maíz", ya que así se denomina ese producto en dicho país.

A veces, habrá que averiguar cuál es el término más usado en los distintos países de Iberoamérica y utilizar el que se entienda mejor en todos ellos. Esta tarea no es fácil, pues el término elegido puede no ser conocido en algunos. En tal caso, se podría aclarar esto en notas de pie de página. Tomemos el término **sidewalk** y su significado en unos pocos países:

> andén (Argentina)
> banqueta (México)
> vereda (Chile)
> **acera** (en varios países)

El último vocablo (subrayado) parece ser el más conocido y aceptable en todos ellos. El traductor debe estar al tanto de las palabras aceptadas en su propio país y en otros. Algunos términos usados en ganadería en Uruguay no son entendibles fuera de sus fronteras. Por

220

ejemplo; en Uruguay y también en Argentina "res" es "animal muerto". En ambos países "carne de res" se usa en vez de "carne en canal" **(carcass meat)**.

En un texto sobre ganadería no debería usarse la terminología peculiar a Argentina y a Uruguay sino la aceptable en América Latina en general.

Si el texto se refiere a España, habrá que traducir **potato** por "patata" en vez de "papa", vocablo este último más empleado en América Latina. En cambio, algunas palabras de uso corriente en España, como "prontuario"[10], sólo tienen un significado muy especial en la mayoría de los países latinoamericanos: una persona con prontuario es aquélla que tiene antecedentes policiales o delictuales.

Estos ejemplos indican la necesidad de que el traductor procure informarse acerca de la terminología usada en el país a que se refiere el documento que ha de traducir. Tendrá, pues, que indagar en la fuente. Por ejemplo, si el documento versa sobre reforma agraria en Colombia, deberá leer algún trabajo al respecto para determinar cómo ha de traducir el término **farm** en relación con ese país. ¿Usará "finca", "predio", "granja", "hacienda", "estancia", "fundo"? Tendrá que averiguar cuál de estos vocablos es el más apropiado en dicho país. En los organismos internacionales se usa de preferencia "explotación agrícola".

El tema "Blue suede shoes", de Elvis Presley, se tradujo en algunos países por "Zapatos de gamuza azules" y en otros por "Zapatos de ante azul".

---

[10]Prontuario: 1. Resumen en que se anotan varias cosas a fin de tenerlas presentes cuando se necesitan. 2. Compendio de las reglas de una ciencia o arte.

Dada la diversidad de modalidades de expresión a nivel nacional, es, pues, muy difícil escribir en un castellano aceptable para un gran número de países. A los efectos de estar mejor preparado para ello, el traductor debe familiarizarse con localismos y el lugar donde circulan.

IDIOMA ORAL E IDIOMA ESCRITO

No está de más subrayar la importancia de distinguir entre idioma oral e idioma escrito. Esta distinción debe hacerla no sólo el traductor, sino toda persona que maneje el lápiz, la pluma o la máquina de escribir.

Es a todas luces evidente que el idioma oral permite mayor libertad en la expresión. Por ejemplo, un profesor puede decirle a un grupo de estudiantes: "No se ha pescado bien la idea", pero en un texto escrito preferirá "No se ha captado bien la idea". (En una mesa redonda transmitida por radio oí no hace mucho decir a un político "No pesqué bien la idea de X").

Del mismo modo, en vez de decir "Las crónicas antiguas están **llenas de** cataclismos, terremotos, maremotos,..." en el idioma escrito luce mejor. "En las crónicas antiguas **abundan** los cataclismos, terremotos,...".

El conferenciante que no dispone de texto escrito puede dar una magnífica charla o conferencia, pero lo que diga, si no ha sido grabado, se irá por el aire. Puede que cometa errores de redacción, de sintaxis y otros desaciertos que más de un asistente perciba, pero no quedará documento al cual remitirse. Es también posible que nadie repare en ello. Lo mismo sucederá con la interpretación oral, salvo que se grabe el discurso y que alguien verifique cuidadosamente el texto.

El traductor, en cambio, debe poner especial esmero en la traducción y en el estilo de su trabajo y, sobre todo, de los documentos que vayan a ser publicados o entregados a la posteridad... La traducción de un documento

223

oficial debe ser tan precisa y correcta como sea posible porque puede ser base de decisiones, recomendaciones y resoluciones que tal vez se citen con frecuencia, o servir de punto de partida para la discusión de un tema. En consecuencia, el traductor debe ponerse a salvo ateniéndose a las normas de la lengua. Ha de ser prolijo en la elección de palabras y frases, en el empleo de giros y expresiones, como asimismo en la expresión refinada de las ideas.

Idioma refinado o elegante no significa lenguaje florido, pedante, ni rimbombante; el refinamiento lo da más bien la sencillez, la corrección y la expresión acertada.

Incluso la falta de precisión se notará menos en la traducción oral. En cambio, en la traducción escrita como ya hemos subrayado habrá que acercarse lo más posible al original.

En los informes se encuentran a veces párrafos y hasta páginas que debieran haber sido editadas antes de ser impresas. Basta el siguiente botón de muestra:

> Este trabajo se ha desarrollado sobre la base de la información que se obtuvo de medios de prensa publicados en 1978 y de la consulta de revistas especializadas.

Es una frase donde abunda la palabrería inútil:

"Se ha desarrollado sobre la base" equivale a "se basa"; "medios de prensa..." es una novedad. Lo habitual es "órganos de prensa" y "medios de comunicación". Pero "medios de prensa publicados" es más que una novedad. El participio "publicados" da la clave: debe ser "artículos publicados en la prensa". "La consulta de revistas" es demasiado detalle: "revistas" era suficiente; se subentiende que "hubo consulta".

En el idioma oral la frase pudo haber "pasado"; en el idioma escrito salta a la vista su deficiente redacción. Se podría haber redactado como sigue:

> Este trabajo se basa en la información obtenida de artículos publicados en la prensa en 1978 y de revistas especializadas.

A veces no se retocan frases como la del ejemplo porque su autor las encontró aceptables, porque no se destinó tiempo a la revisión, o por entrega tardía del material. O quizás fueron revisadas superficialmente por alguien que no quiso darse la molestia de corregirlas o que no encontró nada objetable en ellas.

VIGENCIA Y PERMANENCIA DEL IDIOMA

El idioma, como toda actividad humana, experimenta variaciones. Cambia la moda, el diseño de aviones, autos, edificios. (A propósito de aviones, antes se decía "aeroplanos", del mismo modo que en vez de "cine" el término usual era "biógrafo").

Constantemente surgen nuevas palabras que reflejan avances en distintas ramas del saber, o entra en boga un nuevo vocablo que sustituye a otro. De la noche a la mañana empezó a sustituirse la palabra "gama" por "abanico", como en las frases: "Se ofrece al alumno un abanico de posibilidades". "El programa presenta un abanico de música de la Edad Media". La palabra "cúpula" ha desplazado casi a "dirigentes", "líderes" o personal directivo; "información" parece estar cediendo su paso a "transparencia".

A veces es difícil justificar ciertas innovaciones lingüísticas. Algunas de ellas son inaceptables si se considera que no hace falta el término nuevo que empieza a utilizarse. La necesidad no es, sin embargo, el único criterio para crearlo o echarlo a rodar. Con frecuencia es copiado de otro idioma y, sobre todo del inglés, como sucede con "implementar" (inglés: **to implement**). Este verbo se usa en vez de "aplicar" (planes, resoluciones, recomendaciones), "realizar" (proyectos), "llevar a la práctica" (esquemas), "hacer efectivo" (un sistema). Este "implementar" equivale generalmente a "implantar", con el cual suele confundirse; muchas veces podría traducirse por "establecer" o "instituir".

¿Qué hace el traductor frente a un término como éste? ¿Se deja llevar por la corriente o se rebela? Como en casi todo asunto, las opiniones están divididas: unos aconsejan rechazarlo y otros aceptarlo. En realidad, el traductor debe atenerse a las normas del idioma al cual está traduciendo y aplicarlas. Estará así a salvo de cualquier crítica u objeción y nadie le tirará piedras por haberlas acatado. No obstante, puede suceder que se le pida al traductor que en un trabajo utilice determinado vocablo, no del todo adecuado. De modo que, a veces, tendrá que transigir. Por ejemplo, la traducción correcta de **challenge** es "reto", "desafío", aunque a menudo significa "problema", "estímulo" "incentivo", "aliciente". En una ocasión, la autora de un informe (que algo sabía de español) me pidió que usara el término "desafío" en la última frase de su discurso donde señalaba que la erradicación de determinada enfermedad sería **a challenge to the Organization**: "un aliciente" para la Organización, pero no me quedó más que acceder a su petición.

Otras veces, el autor de un informe o artículo siente al parecer la necesidad de usar los términos en boga, sean éstos correctos o no, para demostrar que está al día en la terminología. Y no quedará contento con la traducción hasta que los vea incluidos en su obra. Nada podrá hacer el traductor en tales circunstancias. Por otra parte, la labor del traductor termina una vez que el texto por él traducido pasa a su autor o a otra persona para ser examinado o revisado. Y queda uno deseando que no se hagan correcciones incorrectas...

A pesar de los cambios que, como todo organismo vivo, experimenta el idioma, hay una amplia base terminológica que se ha mantenido invariable y, lo que es más extraordinario, esta terminología se encuentra en su forma escrita en toda clase de documentos —informes, artículos, periódicos y revistas— sobre los más diversos temas en todas las regiones del globo. En su forma oral, resuena en reuniones y encuentros acerca de cualquier tema y en los medios de comunicación.

De cuando en cuando se me pregunta si el **Glosario internacional**, del que soy co-autora con mi colega John D. Chadburn (traductor al inglés), no será obsoleto en un tiempo más. Mi respuesta es negativa y optimista, pues no es una exageración afirmar que el idioma de los organismos internacionales, que es el del mundo en desarrollo de hoy y que se ha procurado recoger en ese volumen, se ha sedimentado o estabilizado. Salvo algunos cambios y preferencias en su mayor parte "nacionales" y el uso indebido o incorrecto del mismo, ese idioma mantiene su vigencia.

Naturalmente, este idioma internacional exhibe innovaciones y variaciones. Por ejemplo, en un principio el vocablo **bias**, en su acepción estadística, se traducía en las Naciones Unidas por "tendencia viciada", "tendencia viciosa" o "error sistemático". Años más tarde, los expertos en estadística estimaron que la mejor traducción de ese término era "sesgo" y se echó a rodar ese vocablo. Y es así como ahora se habla del "sesgo introducido por la migración" (**migration bias**).

La expresión "cuello de botella", traducción literal del inglés **bottleneck** y que siempre me pareció risible, ha cedido su lugar a un término mucho más expresivo: "estrangulación" o "estrangulamiento". Aplicada al tráfico vehicular, equivale a "congestión", "aglomeración", "estancamiento", etc.

El traductor debe estar atento a estas innovaciones y variaciones a fin de mantenerse al día en el uso de la terminología en circulación.

Ejemplos de permanencia en el uso del idioma serían, entre otros vocablos, **pattern** (pauta, norma, modelo, modalidad), **approach** (enfoque, criterio, punto de vista, actitud), **input** (insumo), **output** (producto), que el traductor encontrará en documentos y escuchará en reuniones sobre los más variados temas.

Hay, pues, un conjunto de palabras y expresiones que constituyen el lenguaje firme de distintas disciplinas, que intercambian entre ellas y que están al servicio de la comunidad internacional, como asimismo de los países en general.

ABUSO DEL ADVERBIO EN CASTELLANO

A menudo se abusa en castellano del adverbio, esas palabras terminadas en "-mente" que, por ser largas, ocupan espacio y agregan volumen. A veces, confieren resonancia, pero cuando se acumulan introducen cacofonía. Podrían muy bien sustituirse por frases preposicionales.

Ejemplo:

> El Derecho consiste **fundamentalmente** en vivir **honestamente**.

Pudo haberse evitado el primer adverbio sustituyéndolo por una de las frases siguientes: "en lo esencial", "en el fondo", "en lo fundamental", o haberse empezado la definición con una de ellas.

> En el fondo, el derecho consiste en vivir honestamente.

Otro ejemplo:

> La demanda de oro se ha reducido **marcadamente** por la inflación baja que prevalece **actualmente**.

No había necesidad de esos dos adverbios si la frase se hubiera redactado como sigue:

> La demanda de oro se ha reducido en alto grado por la baja inflación actual o "...por la baja inflación que prevalece en la actualidad".

El adverbio siguiente se usa con frecuencia y de manera incorrecta, como en este ejemplo:

> En general, el manzano no necesita podarse **fuertemente**.

La idea parece ser "podarse en exceso" o "podarse en forma excesiva", o "podarse mucho".

Objeto de abuso es también el adverbio "altamente", que podría ser sustituido por frases como "en extremo", "en gran medida", "en alto grado", "en medida apreciable" o simplemente por el adverbio "**muy**" como en la frase:

> Creo que es **altamente** (muy) probable que antes de que concluya el primer decenio del próximo siglo, regresaremos, de hecho, a la Luna.

> Los hermanos (Grimm), **sumamente** distintos en carácter y talento, se mantuvieron **entrañablemente** unidos hasta la muerte.

El primer adverbio pudo haberse sustituido por "muy", con lo cual se hubiera evitado la repetición de la terminación "-mente"; "sumamente distintos" nada agrega a "muy distintos"

En el ejemplo siguiente, con los tres adverbios se ha contribuido a acentuar la cacofonía:

> "Por otra parte, el monto referido es **absolutamente** insuficiente para mantener a una familia **relativamente** numerosa, como es **habitualmente** el caso de los desempleados".

El primer adverbio, que no es esencial en la frase, pudo

haberse sustituido por "del todo" y en vez del tercero pudo haberse dicho:

"...como es frecuente (general) en el caso de..."

Otros adverbios de los cuales se abusa muy a menudo son: "obviamente", "realmente", "básicamente", "prácticamente" y "fundamentalmente" ya mencionados.

En el caso extremo siguiente, que no es raro, algunos adverbios pudieron haberse eliminado.

> **Indiscutiblemente**, sus historias (de los baños termales) están **estrechamente** ligadas al desarrollo del tren que **paulatinamente** se desparramó por todo el territorio. **Lógicamente**, ello favoreció el gran crédito de estos establecimientos a los que se hizo moda concurrir.

O todos ellos:

> Sin duda, sus historias están muy ligadas al desarrollo del ferrocarril que poco a poco se desparramó por todo el territorio. Ello favoreció, por cierto, el gran crédito de estos establecimientos...

Comentamos:

El "desarrollo del tren" no significa gran cosa; tal vez se quiso decir "el auge del ferrocarril", "la popularidad del ferrocarril". En vez de "están muy ligadas (vinculadas)" podría haberse dicho "guardan íntima relación" o "estrecha relación". La idea de que el tren "se desparramó por todo el territorio" quizá no sea la mejor; "se abrió paso por todo el territorio" parece más apropiado en este caso. En cuanto a "el gran crédito de estos establecimientos", expresión no muy feliz por su ambigüedad en dicho ejemplo, parecería que significa "el gran prestigio" y no "el importante crédito" en el sentido de financiamiento... En todo caso, la palabra "crédito" está mal usada.

A menudo, se emplean adverbios sin justificación alguna. Abultan el texto y poco agregan al contenido de la frase o párrafo.

Los modos adverbiales desempeñan la misma función que los adverbios. Por ejemplo, en vez de los adverbios mencionados a continuación podrían usarse las locuciones indicadas frente a ellos.

ciegamente: a ciegas
discretamente: con discreción
dignamente: con dignidad
nuevamente: de nuevo

EL GERUNDIO

En el manejo del gerundio se observa en general un desconocimiento de los principios básicos que rigen su uso.

El gerundio mira hacia el presente y comunica duración a la acción verbal. En general, denota la acción del verbo con carácter adverbial: **andaba corriendo, llegó cantando.**

Examinemos dos clases de abuso muy frecuentes: 1) el empleo del gerundio referido al acusativo: "Le envío una caja **conteniendo** libros" en vez de "...una caja que contiene libros", "Una ley **derogando...**" en vez de "Una ley que deroga...", "Una resolución **autorizando...**" en vez de "... Una resolución por la que se autoriza...", y 2) el uso del gerundio coordinativo, es decir, como enlace de frases que denotan actos sucesivos y que, por lo mismo, pueden coordinarse: "Se cayó del andamio, **rompiéndose** la pierna", en vez de "Se cayó del andamio y se quebró la pierna".

En la frase:

> "El Embajador llegó al aeropuerto acompañado de su esposa y **vistiendo** un ambo sport, **siendo** asediado de inmediato por los periodistas".

Se ha usado el gerundio como elemento de enlace, que no lo es, y se han vinculado tres ideas distintas:

> "El Embajador llegó... acompañado de su esposa. Vestía... Fue asediado... por periodistas.

Otro ejemplo:

> "Pero cuando tenía 41 años de edad se declaró en bancarrota con una lista de 246 acreedores —incluyendo ex esposas— **debiendo** más de 522 mil dólares y con bienes de menos de cinco mil 500 dólares".

Una posible manera de desenredar esta maraña:

Después de la palabra "bancarrota" decir: "Los acreedores —incluyendo ex esposas— sumaban 246. Debía más de... y sus bienes eran menos de...", o bien, "había 246 acreedores... Debía... y sus bienes eran inferiores a...".

En los dos ejemplos siguientes, el gerundio debió haberse sustituido por la forma verbal correspondiente que iniciaría una nueva frase:

> Ahora Reagan ha iniciado la campaña para su reelección **teniendo** 73 años y nadie menciona ya la edad como un factor importante.

Después de "... para su reelección" habría que colocar punto y coma (;) y continuar: "tiene 73 años y...".

> Este joven es uno de los más destacados equitadores chilenos, **habiendo obtenido** una gran figuración en los Juegos Panamericanos.

Después de "equitadores chilenos: obtuvo una gran figuración en..."

A veces es innecesario:

> Lo importante es llevar a cabo los trabajos **dispensándoles** esmero y cariño.

Hubiera bastado la preposición **con**, a fin de decir: "con esmero y cariño".

Otro ejemplo:

"Haymes pasó de anunciador radial a cantante... **actuando** con bandas tan famosas como...".

La idea no es que "**pasó... actuando**", sino que pasó de anunciador a cantante y, como tal (en tal calidad), actuó (o llegó a actuar) con bandas...

No todos los vocablos terminados en —ing son gerundios en inglés. Por ejemplo, la frase siguiente en castellano "huele" a inglés.

> Dependiendo de dónde esté ubicado (el tumor), su forma y su tamaño, el médico podrá optar por...

Se trasluce el inglés **Depending on where it is located**... Se pudo haber dicho:

> Según su ubicación, forma y tamaño, el médico podrá optar por...

En inglés **depending on** (según) al igual que **considering** (considerando, teniendo en cuenta), o **judging from** (a juzgar por), son preposiciones.

Es frecuente, asimismo, la frase **depending on the context**: según el contexto.

No cabe duda de que el mal uso del gerundio corrompe la redacción, pero parece que por mala redacción se abusa del gerundio.

ABUSO DEL ARTICULO INDEFINIDO
EN CASTELLANO

En castellano el artículo indefinido o indeterminado es a veces innecesario. Veamos el ejemplo siguiente:

> Puede muy bien cualquiera llegar a ser **un** gran hombre sin estar dotado de **un** talento ni de **un** ingenio superior, con tal que tenga valor, **un** juicio sano y **una** cabeza bien organizados.

Podría haberse suprimido el segundo y tercer artículo indefinido y sustituido los dos últimos por los artículos definidos correspondientes, de modo que se dijera:

> Puede muy bien cualquiera llegar a ser un gran hombre sin estar dotado de talento ni ingenio superiores, con tal que tenga valor, el juicio sano y la cabeza bien organizados.

En realidad, la última parte de la oración no está muy clara; el plural "organizados" indicaría que se aplica también a "juicio sano", pero resultaría una frase extraña. Quizá se quiso decir "cabeza bien organizada" o se pensó suprimir el adjetivo "sano" y mantener el plural "organizados..."

En el caso de afirmaciones generales, el artículo indefinido podría sustituirse por el artículo definido, como en el siguiente ejemplo:

> ¿Es verdad que por **una** falta de vitamina A se pueden

producir alteraciones vitales, especialmente dificultades para ver por la noche? **Una** alimentación rica en carotenos puede colaborar con el abastecimiento de este nutriente.

En la pregunta y en la respuesta precedentes los artículos indefinidos **una** podrían haberse reemplazado por el artículo definido **la**. En vez de "colaborar con el abastecimiento de este nutriente" pudo haberse dicho "contribuir al abastecimiento de este nutriente", o "aportar este nutriente".

A veces se emplea el artículo indefinido para enfatizar el sustantivo.

Ejemplos:

> Esta es la reacción propia de **un** hombre honorable.
> **Una** mujer sensata no procedería así.

En el ejemplo siguiente el tercer elemento de la frase intercalada debió haberse introducido, al igual que los otros, con el artículo definido a fin de equilibrar la redacción:

> Las cosas serían totalmente diferentes si el hombre se dirigiera a la nación desde cualquier tribuna —las páginas de un diario, la pantalla de televisión, **un** (el) púlpito de orador— prometiendo que su colectividad...

En el siguiente pasaje se utilizó muy bien el artículo definido al principio y, luego, se cambió sin motivo al artículo indefinido:

> Las uvas tienen la característica de no continuar su proceso de maduración una vez cosechadas. Es así que **una** (la) uva recolectada en estado inmaduro man-

tendrá invariablemente dicha condición, es decir, sin variar posteriormente su bajo grado de azúcar y su alta acidez.

Observaremos, además, que la última frase a partir de "es decir" es un tanto repetitiva: "sin variar" nada agrega a "invariablemente"; "mantendrá" indica tiempo futuro, de modo que el adverbio "posteriormente" está de más. En consecuencia, podrían haberse suprimido las palabras "sin variar posteriormente".

USO DEL POSESIVO

El posesivo se emplea mucho menos en castellano que en inglés. Es norma usar el artículo definido en lugar del adjetivo posesivo en relación con partes del cuerpo humano o efectos personales cuando el posesor está identificado.

Ejemplos:

> Me duele la cabeza.
> Dejo el abrigo sobre la cama.

Está claro que en el primer ejemplo se trata de "mi" cabeza y en el segundo de "su" abrigo (de él o de ella).

Por eso, las frases siguientes en las que se contraviene dicha norma se sienten pesadas por redundancia:

> El joven recibió el mayor daño en **su** párpado izquierdo, lo que le dificultó cerrar **su** ojo.

Mejor: Recibió el mayor daño en el ojo izquierdo, por lo que le era difícil cerrar el ojo.

> Otros autores del atentado tenían cintas de balas cruzadas en sus pechos.

Procedía decir: "...cruzadas sobre el pecho" (o "terciadas al pecho", si tal era el caso).

En el ejemplo siguiente, además del uso indebido del posesivo y del verbo en singular, cojea la redacción:

> 80% de las madres cocina con **sus** manos contaminadas.

Después de "cocina con", se esperaba el nombre de algún producto especial, como aceite de maravilla, margarina, etc. Este inesperado vuelco pudo haberse evitado si se hubiera dicho:

> 80% de las madres tienen las manos contaminadas al cocinar.

Otro ejemplo:

> Uno de los proyectiles se introdujo por detrás de **su** oreja derecha, en tanto que otro se alojó en **su** sien izquierda.

En ambos casos, debió usarse el artículo definido **la** en vez del posesivo.

> Un bombazo la dejó sin **sus** piernas.

¿Hacía falta el posesivo? ¿No estaba claro que las piernas eran **de ella**?

El adjetivo posesivo debe usarse, en cambio, cuando el posesor no está identificado y la parte del cuerpo es sujeto de la frase, o cuando se quiere recalcar la posesión:

> **Mis** ojos están muy cansados.
> Dejé **mi** abrigo y no el tuyo sobre la cama.

Si se desea expresar participación en la acción e incluso la idea de posesión, se prefiere en castellano recurrir al dativo ético de los pronombres personales y reflexivos. Ejemplos:

> **Me** he olvidado los anteojos.
> **Se** puso la mano en la frente.

En vez de

> Sus ojos se llenaron de lágrimas, es preferible Los ojos se le llenaron de lágrimas.

El posesivo de tercera persona, especialmente en su forma apocopada su, se presta a anfibología o ambigüedad en castellano, en comparación con las variadas formas del inglés (*his, her, its, their*). "Su libro" puede significar el libro de él, de ella, de ellos, de ellas, de usted, de ustedes. Esta vaguedad se subsana añadiendo al posesivo su el nombre del posesor: su libro del profesor, su tío de usted, etc.

Con frecuencia, la ambigüedad se debe a la construcción de frases que chocan con esquemas tradicionales del castellano.

> El público se subió luego a los postes del alumbrado para quitar las pantallas que cubrían sus lámparas para ocultar sus reflejos a la vista de los zepelines alemanes.

El uso de los posesivos no sólo es contrario a las normas de la lengua castellana sino que en el primer caso ha originado ambigüedad —riesgo muy frecuente en el empleo del posesivo. Es de suponer que "sus lámparas" tiene que ver con "las pantallas" y no con "el público"... A los efectos de evitar la repetición, el segundo **para** podría haberse sustituido por "a fin de" y en lugar de "sus reflejos" procedía decir "el reflejo".

En la frase siguiente, que parece ser traducción del inglés, no sólo abundan los posesivos sino que la redacción es anómala:

> La región está perdiendo sus árboles y su pasto, y más de 13 millones de esas hectáreas (20 millones) tienen su superficie erosionada en más de sus dos tercios.

Pudo haberse redactado como sigue:

> La región está perdiendo los árboles y el pasto, y más de los dos tercios de una superficie superior a 13 millones de esas hectáreas (20 millones) está erosionada.

Interesa mencionar también el uso en escritos, informes o discursos, del posesivo **nuestro** en lugar de la primera persona. Esta práctica es frecuente en castellano y en inglés. Por ejemplo, al decir "en nuestra opinión", en lugar de "en mi opinión", el autor se incluye en lo que se ha denominado "una pluralidad ficticia" para no aparecer tan en primer término como si dijese "en mi opinión". Lo mismo sucede con el "nosotros de modestia", como en "Esta casa es de nosotros" en vez de "Esta es mi casa".

Estas normas pueden contribuir a mejorar la redacción.

SUSTANTIVOS USURPADORES

Se nos recomienda la síntesis en la expresión oral y escrita, pero en general nos gusta estirar la madeja. Y a veces más de la cuenta. Algunas frases se alargan por exceso de palabras, lo que suele ser consecuencia de redacción defectuosa. La construcción siguiente es bastante común:

La detención del reo **se produjo** en su ciudad natal.

En vez de: El reo fue detenido en su ciudad natal.

No hacía falta el verbo "producir", especie de virus lingüístico que ha desatado una verdadera epidemia.

Las heridas de la cara **se las hizo** en su caída por un canalón de hielo.

Por: Se hirió la cara al caer por un canalón de hielo.
Otros ejemplos:

La asignación de los valores **se hizo** sobre la base de la cobertura de la especie.

Los valores se asignaron sobre la base de la cobertura de la especie.

La presentación de la información **se realiza** a través de folletos, revistas, etc.

La información se presenta en folletos, revistas, etc.

Obsérvese el uso incorrecto e innecesario de la frase "a través de", otro virus lingüístico generalizado.

> **La ubicación** de las muestras **se hace** por el procedimiento...
> En vez de: Las muestras se ubican por el procedimiento...

O bien:

> En la ubicación de las muestras se usa (aplica) el procedimiento...

Esta usurpación del verbo por el sustantivo es frecuente en frases como la siguiente:

> Otra forma de **eliminar** la cáscara es con el uso de **lejía** o cenizas.

Se ve claramente que el autor de esta oración, que andaba medio perdido en su construcción, no salió muy airoso con ella. La cáscara no se elimina "con el uso de", sino con lejía o cenizas. Eso es lo que debió decir. En cuanto a "otra forma de", que denota un procedimiento más respecto de otro ya mencionado, eso pudo haberse expresado así:

> La cáscara se elimina **también** (asimismo, igualmente) con lejía...
> O: Hay otra manera de eliminar la cáscara: con lejía o cenizas.

En lugar de:

> **La observación óptima** del cometa **se realiza** con binoculares.

Pudo decirse:

> El cometa se observa de manera óptima con binoculares.

Observo otra anomalía en el empleo de estos sustantivos usurpadores exclusivamente con el verbo **ser**[11].
Ejemplos:

> 1. El alojamiento **fue** en el Hotel Sevilla.

En lugar de: Nos alojamos en el Hotel Sevilla.

> 2. Su entrada en el cine **fue** a los 14 años.

En vez de: Entró (ingresó) en el cine a los 14 años.

> 3. La preparación de los alimentos a esta hora del día **era** mediante cocción.

Mejor: Los alimentos a esta hora del día se cocían.

> 4. El acceso a la torre **es** por el interior del edificio a través de una escalera de caracol.

El sentido es:

> Se llega a la torre por una escalera caracol que hay en el interior del edificio.

Estos ejemplos revelan una estructura o psicología simplista y complicada a la vez. Es como si se hubiera apri-

---

[11]Los ejemplos presentados parecen indicar que el escritor no ha sabido emplear este verbo.

sionado primero el sujeto (sustantivo) —el alojamiento, la entrada en el cine, la preparación de alimentos, el acceso a la torre— sin tener una idea global de lo que se iba a decir al respecto, con el resultado de que al complicarse el camino la frase sale de cualquier manera.

Tal como iba la frase, el verbo "ser" en estos ejemplos permitía más bien juicios de valores como: 1) bueno; 2) espectacular; 3) rápida; 4) directo, pero no la información dada. Ello explica la anomalía.

Un ejemplo más:

> **El comienzo** de las festividades por el cumpleaños de la monarca... **fue** en el castillo de Windsor.

Más directo, preciso y breve:

> Las festividades por el cumpleaños de la monarca... comenzaron en el castillo de Windsor.

En todos estos ejemplos el sustantivo está, como si fuera, usurpando la función del verbo. Al parecer, nos dejamos guiar por la cantidad más que por la calidad de las palabras. Por eso, tal vez, no logramos esa expresión clara, sencilla y sintética que debiera ser nuestro objetivo. Como dice el adagio: "Cuanto menos bulto más claridad".

DIFERENCIAS ENTRE EL CASTELLANO
DE ESPAÑA Y EL DE IBEROAMERICA

No sólo se observa variedad en el idioma hablado o escrito en los distintos países, por ejemplo en Argentina en comparación con México, sino que también —como es sabido— se observan diferencias entre el castellano usado en España y el que se emplea en los países iberoamericanos.

Cada país exhibe modalidades de expresión que les son peculiares y que reflejan la idiosincrasia y el alma de su pueblo.

El léxico empleado en España tiene variantes en los países de América Latina. Hasta los proverbios y frases populares reflejan a veces esas peculiaridades.

Comparemos algunos con los de Chile:

Esp. : Buñolero a tus buñuelos/Tener riñones/Quemarse uno las cejas
Ch. : Pastelero a tus pasteles/Tener pana (hígados)/Quemarse uno las pestañas.

Esp. : Más presto se coge el mentiroso que al cojo.
Ch. : Más pronto se pilla a un mentiroso que a un ladrón.

Esp. : Más vale pájaro en mano que buitre volando.
Ch. : Más vale pájaro en mano que ciento volando.

Esp. : Saber uno como el avemaría alguna cosa.
Ch. : Saber uno como el agua alguna cosa.

Esp. : Tener buenas aldabas.
Ch. : Tener buenas cuñas.

Y no sólo varían los conceptos, sino también la forma:

Esp. : Llover chuzos.
Ch. : Llover a chuzos.

Esp. : El ojo del amo engorda al caballo.
Ch. : Al ojo del amo engorda el caballo.

En otros países es muy posible que estos dichos y proverbios tengan otras versiones.

Los españoles comen "patatas", "judías" y "guisantes", mientras que en casi todos los países de este lado del Atlántico esos artículos se denominan "papas", "porotos" y "arvejas".

En la sección sobre Idioma[13] se comenta el distinto uso que tiene la palabra "prontuario" en Iberoamérica y en España: en el sentido español de compendio, resumen o manual, sería casi incomprensible en América Latina, donde es común encontrarla en la frase "persona que tiene prontuario", o sea, antecedentes criminales o una ficha policial. El verbo "echar en falta", muy elegante y sobrio en España, tiene su gráfico equivalente en "echar de menos" en los países iberoamericanos.

En mis años de traductora en las Naciones Unidas, algunas frases de uso general en América Latina encontraban resistencia de parte de los revisores españoles. Por ejemplo, no aceptaban de muy buen grado: "situación de emergencia", ya que, para ellos, "emergencia" tenía que ver con "emerger", "aflorar", "salir a la superficie". Recuerdo que a mi jefe, de nacionalidad argentina, le costó trabajo convencer a mi compañero de oficina, jurista de la Universidad de Salamanca, de que era una

---

[13]Véase pág. 220.

expresión frecuente en América Latina y comprensible para todos. El, en cambio, abogaba por las expresiones castizas "situación especial", "situación excepcional", o "situación extraordinaria".

Otra diferencia: en el español de España los artefactos domésticos son en general femeninos; se asocian al parecer con el vocablo "máquina" (computadora, nevera, tostadora). En América Latina tienden a ser masculinos, tal vez por su asociación con "motor" (computador, refrigerador, tostador).

Y la diferencia más evidente de todas y que advertimos casi con asombro en la conversación con españoles: el uso del "vosotros" y su correspondiente forma verbal, como asimismo del posesivo "vuestro" y "vuestros". En Iberoamérica casi no sabemos manejar tan refinadas modalidades de trato, a pesar de haberlas aprendido en nuestra infancia.

PARTE IV

OTROS ASPECTOS

OTROS ASPECTOS

En esta parte se amplían algunos aspectos ya mencionados en el cuerpo del presente volumen y se incluyen otros que, si bien no se relacionan directamente con las técnicas de la traducción, tienen que ver con esta actividad.

Algunos adoptan la forma de "problemas"; otros son actividades conexas; y otros ponen en guardia al traductor sobre responsabilidades propias del arte de traducir.

Se subraya la diferencia entre la traducción comercial y la destinada a organismos de las Naciones Unidas. Se analiza la libertad del traductor y lo que ha de entenderse por dicho concepto.

En la sección denominada "Cooperación lingüística entre las diversas disciplinas" se ponen de manifiesto los vínculos que la terminología establece entre ramas del conocimiento.

La sección sobre "Correspondencia" tiende a destacar diferencias entre el inglés y el castellano en cuanto a enfoque, formulismo y redacción. Todos los aspectos mencionados forman parte esencial de la tarea, la formación y el ámbito del traductor.

LA TRADUCCION COMERCIAL VERSUS LA TRADUCCION EN LOS ORGANISMOS DE NACIONES UNIDAS

La traducción, cualquiera que sea su naturaleza —técnica o no técnica, comercial o no comercial— debiera satisfacer los criterios de calidad ya expuestos.

Como los organismos de Naciones Unidas recurren con frecuencia a traductores independientes **(free lancers)** cuando el volumen de trabajo así lo requiere, interesa comparar la traducción comercial con la traducción en dichos organismos.

Ha de entenderse por "traducción comercial" aquélla que es realizada por traductores independientes, a veces allegados a centros de traducción, o por estos centros en contraste con la que es efectuada por traductores adscritos al personal de los organismos mencionados.

Es posible establecer diferencias entre ambos tipos de traducción. Mencionaremos las más evidentes:

1. La traducción comercial es a menudo solicitada por personas que no saben otro idioma que el suyo propio y que desean conocer el contenido de determinado texto escrito en un idioma extranjero o transferirlo a un idioma extranjero. Este es el caso, por ejemplo, de un traductor independiente que acepta traducir para un banco comercial un informe en portugués sobre el impuesto a los bienes raíces en uno de los estados del Brasil. Ningún funcionario de ese banco sabe nada del tema, de modo que no podrá ayudar al traductor en su labor si detecta algún problema de interpretación o de terminología. El traductor deberá, si dispone de tiempo y trabaja a conciencia, investigar e informarse sobre el

asunto por su cuenta. El banco aceptará la versión traducida sin poder mejorarla ni opinar acerca de su calidad.

En los organismos de Naciones Unidas la persona que solicita la traducción de un documento en su lengua materna generalmente comprende el idioma extranjero del texto original y casi siempre puede ayudar con la terminología y está en condiciones de verificar esa traducción.

2. Muchas veces, la traducción comercial es solicitada con fines informativos únicamente. Por lo general, se trata de cartas, folletos, certificados, instrucciones sobre el funcionamiento de máquinas u otros dispositivos. El material traducido no será siempre publicado conjuntamente con el original.

En los organismos de Naciones Unidas, además del material mencionado se traducen con frecuencia documentos de referencia o recopilaciones de antecedentes, reglamentos, convenios y tratados, muchos de los cuales sirven de base a decisiones, recomendaciones o resoluciones, que también habrá que traducir. Casi todo el material traducido es publicado en más de un idioma de trabajo y muy a menudo en documentos paralelos.

3. Debido a la característica precedente —la publicación o no publicación del texto traducido— en la traducción comercial el lenguaje que se utilice, el estilo y la redacción que se den al texto posiblemente no tengan la misma importancia que en el caso de documentos que han de ser publicados o estudiados como punto de partida para la adopción de decisiones, la aprobación de recomendaciones o resoluciones, o con el fin de ser incorporados en otros documentos.

4. La traducción comercial es efectuada por trabajadores independientes que trabajan solos o para centros

de traducción. El traductor independiente no se entera generalmente de los errores que comete y, en consecuencia, seguirá incurriendo en ellos en su labor futura. En algunos centros de traducción puede que su trabajo sea revisado y el traductor se beneficie de las observaciones que se le hagan.

En los organismos de Naciones Unidas el traductor suele ser miembro de un grupo o "equipo" y es muy posible que su trabajo sea revisado. Además, podrá descubrir sus errores con más facilidad, sobre todo si tiene interés en perfeccionarse: muchas veces podrá seguirle la pista a su trabajo o acercarse a la persona que lo hubiera solicitado, con el objeto de saber cómo se han resuelto las dudas o los posibles problemas de traducción o de terminología que se le hubieran planteado.

5. La traducción comercial es más bien obra personal, realizada en soledad por una sola persona.

En los organismos de Naciones Unidas las más de las veces la traducción es obra colectiva. Un texto puede ser traducido por una persona y revisado por otra (técnico o traductor con más expriencia, o especialista en la materia de que trate), o puede ser preparado por varios traductores para ser revisado finalmente por una sola persona con miras a uniformar la terminología, el estilo y la presentación.

6. En la traducción comercial hay mayor libertad en el uso de la terminología. En los organismos de Naciones Unidas el traductor debe ceñirse al vocabulario ya consagrado "en la casa" o al recomendado por expertos lingüísticos o terminologistas internos o externos. A veces se preparan listas de vocablos nuevos de carácter técnico u otro, con su traducción, para distribuirlas a quienes se ha confiado la preparación de un documento extenso. Algunos términos o expresiones pasan a ser tabú por su

connotación regional, o la posibilidad de que hieran susceptibilidades nacionales.

7. Los traductores comerciales son a menudo llamados a traducir en idiomas distintos de la lengua materna, o aceptan hacerlo, lo que sin duda explica algunos textos risibles publicados por hoteles, agencias de turismo e incluso en dependencias oficiales. El resultado es semejante al que producen quienes "se atreven" a traducir a idiomas que no conocen bien, en lugar de quedarse en su lengua materna.

8. En la traducción comercial el texto terminado que presente un traductor puede ser la última palabra.

En los organismos de Naciones Unidas, la última palabra la tiene a menudo la persona que ha solicitado la traducción.

Fuera de estas diferencias, hay algunas situaciones que los traductores afrontan en todas las modalidades de traducción y, por ende, en las dos a que se ha referido esta sección.

1. Tanto en la traducción comercial como en la destinada a organismos de las Naciones Unidas, el texto que se envíe a traducir puede ser un texto no editado. De modo que la tarea del traductor puede resultar aún más difícil: hacer sentido en un documento antes de ser definitivamente estructurado, refinado o redactado.

2. Es probable que el traductor al aceptar o recibir el texto que haya de traducir, acepte también parte de la terminología que deba emplear. Si un término tiene más de un equivalente, puede ser conveniente preguntar de antemano al autor de un documento cuál de ellos ha de utilizarse.

3. Al igual que en otros oficios o profesiones, el traductor aprenderá no sólo de los demás, sino por sí solo.

4. Sin duda, el traductor tendrá que encarar dificultades idénticas o semejantes a las que encuentran otros colegas.

En realidad, asombra observar cómo los traductores de "todo el mundo", es decir de distintos países, organismos y centros de traducción, tarde o temprano llegan a manejar el mismo vocabulario y hacen frente a los mismos problemas. En otras palabras, con la práctica de la profesión no tardan en adquirir una terminología que es patrimonio de todos y a resolver problemas comunes. Hasta podría decirse que a los traductores los une la terminología y las dificultades que encuentran en su camino y los separa la calidad que consiguen en el texto que producen.

TEXTOS DE LOS CUALES SE TRADUCE

Los textos en los que ha de trabajar el traductor variarán no sólo por su contenido o materia —economía, reforma agraria, energía atómica, letrinización— sino también por su redacción y estilo. Si el texto inglés es claro, está bien redactado y el traductor conoce algo de la materia de que se trata, no tendrá problemas en transferirlo al castellano. He dicho "conoce algo de materia", pues el traductor puede estar familiarizado con el tema o con el vocabulario que necesite para traducirlo. En su búsqueda de la terminología que desconoce, tendrá que consultar textos de referencia, libros sobre la especialidad, diccionarios, o recurrir a expertos.

En tal labor de investigación encontrará a veces más de un término técnico para traducir un mismo concepto y, al usarlo, puede que coincida o no con el autor en cuanto al que éste prefiera. Muchas veces, el traductor quedará con dudas acerca del acierto con que ha elegido la terminología. Si la traducción va a ser examinada por un revisor, a él le corresponderá verificar la exactitud de la misma e introducir en el texto las modificaciones de estilo que estime convenientes. A veces, el traductor podrá ver las modificaciones que se le han hecho a su traducción y encontrar en ellas algo que le sirva para el futuro. Otras veces será el propio autor del texto quien leerá la traducción para ver si está correcta, no sólo por reflejar fielmente el original, sino también sus ideas. En esta lectura final, puede suceder que él mismo introduzca cambios en su texto o modifique en algo la versión presentada por el traductor, o la encuentra del todo satis-factoria. Habrá asimismo circunstancias en que alguna modificación del autor vaya en desmedro del texto del traductor o en que éste no quede muy contento con la modificación que se le ha hecho. Son algunos de los sinsabores de la profesión.

A veces el traductor tiene la ventaja de trabajar cer-ca del autor de un documento, sea éste discurso, infor-me, trabajo de investigación o un sencillo proyecto de resolución. En tal caso, puede recurrir a él para consul-tarle respecto de cualquier duda o aclarar algún pasaje que se preste a más de una interpretación, o resolver una contradicción "descubierta" por el traductor. Estos son algunos de los problemas que puede afrontar en su ta-rea. Este trabajo compartido es de gran utilidad para ambas partes —autor y traductor— y casi siempre resul-ta en un texto de mejor calidad y más satisfactorio para su autor. Hasta el original puede salir ganando, ya que en algunas ocasiones el autor modifica su texto —si ello es aún posible— para tener en cuenta las observaciones del traductor.

En otros casos, el traductor puede estar muy lejos del autor, quien espera su texto para hacerlo imprimir y distribuir. El traductor puede, entonces, remitir al autor, junto con su trabajo o antes —si el tiempo lo permite—, una lista de los problemas que haya encontrado o de las dudas que tuviere en cuanto a interpretación e, incluso, posibles soluciones según su comprensión del docu-mento. Esto permite al autor concentrar su atención en las dificultades que el traductor le señala.

Esta cooperación entre autor y traductor suele ser posible también en el curso de reuniones y conferencias. El autor de una moción o de un proyecto de resolución necesita a veces los servicios de un traductor que esté familiarizado con el formato y la estructura de estos documentos, o que pueda retocar el texto que ha redactado antes de presentarlo en una sesión. En tales ocasiones, el autor tal vez sugiera el empleo de palabras que el traductor deberá aceptar aunque no sea de muy buen grado.

En algunos casos, la traducción será mejor que el original tanto por su redacción como por expresar su mensaje con claridad. No podrá ser de otra manera si el traductor se encuentra ante un texto defectuoso, pues su labor consiste en "hacer sentido" a pesar de las deficiencias del original. Si el texto es vago, deberá reflejar esa vaguedad que a veces puede ser deliberada. Examinaremos algunos ejemplos que ponen a prueba la capacidad del traductor para interpretar debidamente ideas ajenas y acercarse al pensamiento de autores conocidos o desconocidos. Ejemplos de textos en que el idioma original no es de la mejor calidad y que puede complicar la tarea del traductor:

The resulting absence of the application of the planning concept has prevented the emergence of a clear-cut policy.

Posible traducción:

Por no haberse aplicado el concepto de planificación no se ha formulado una política bien definida.

El pasaje siguiente tampoco está redactado en un inglés de muy buena calidad y a ello se debió tal vez la errónea interpretación de que fue objeto:

Planning is a process by which available data, needs

and resources are appraised, analyzed and used in preparation for change.

La planificación es un proceso que consiste en evaluar las necesidades y los recursos en función de los datos disponibles y en utilizar los recursos para prepararse a efectuar un cambio.

Se pensó, al parecer, que las tres formas verbales se aplicaban por igual a **data, needs and resources** (analizar se asimiló a evaluar) cuando en realidad cada sustantivo tiene su verbo; los datos deben evaluarse; las necesidades analizarse y los recursos usarse. La última frase "para prepararse a efectuar un cambio" es bastante pobre quizá por ser demasiado literal. Podría haberse dicho: "con miras a modificar una situación" o "la situación" si se trata de una determinada. Se sugiere la traducción siguiente:

La planificación es un proceso que consiste en evaluar los datos pertinentes, analizar las necesidades y utilizar los recursos a fin de estar preparado para modificar una situación (efectuar cambios).

Aunque "*available*" significa "disponible" o "de que se dispone", como asimismo "existente", es preferible apartarse de estos adjetivos en este caso. Naturalmente, no van a evaluarse "datos que no existen" o "de los que no se disponga". Podría considerarse que eso de "modificar situación" es una libertad que se toma el traductor, pero se justifica como una traducción más acabada o redondeada en castellano y que no altera el significado. Tal vez algún economista quiera mantener en esa frase la palabra "cambio", lo que también puede hacerse, como se ha indicado.

La frase siguiente tiene sus defectos, pero si se capta bien la idea la traducción no ofrece gran problema:

Research must be conducted into the use of additional vehicles to make fluoride benefits available to those communities not receiving it.

Se deben investigar otros medios para facilitar fluoruro a las comunidades que aún no se han beneficiado con este compuesto.

O: Es preciso buscar otros medios para proporcionar fluoruro...

Otro ejemplo:

Human beings with their ability to change rapidly through cultural evolution have enormously increased their ability to use the resources of the earth and specially the resources provided by other forms of life.

Encuentro la versión siguiente:

Los seres humanos, con su habilidad para cambiar rápidamente a través de la evolución cultural, han aumentado enormemente su habilidad para usar los recursos de la tierra y especialmente los suministrados por otras formas de vida.

La frase **ability to change** es ambigua: ¿habilidad para cambiar algo o ellos mismos (los seres humanos)? Tal como se ha traducido, necesitaría un complemento directo. La frase "a través de" no es la más atinada. La cacofonía de los dos adverbios pudo haberse reducido.

Sugerimos, respetando la vaguedad, el texto siguiente:

Los seres humanos, en los que reside la capacidad de cambio rápido merced a la evolución cultural, han aumentado enormemente su habilidad para aprovechar los recursos de la tierra y, en especial, los aportados por otras formas de vida.

En el Apéndice 1 se presenta un texto en inglés y la traducción comentada del mismo.

IDENTIFICACION DE PROBLEMAS

En su tarea el traductor puede encontrarse ante un texto claro, bien redactado y razonablemente concebido que no le presente problema alguno. Si conoce el vocabulario que necesita y sabe estructurar las frases en castellano, su trabajo resultará bastante fácil.

Puede suceder, asimismo, que la redacción del texto original sea defectuosa y que su contenido no esté muy claro. Algunos traductores se limitan a traducir sin detectar obstáculos en su camino o, si los encuentran, los salvan echando por el atajo: traducir directa y literalmente.

Por ejemplo:

> **The symposium will consist of ten invited scientific papers.**
>
> El simposio consistirá en diez trabajos científicos invitados.

La frase inglesa es bastante deficiente: un trabajo (documento) no puede calificarse de "invitado". Los invitados a participar en la reunión son personas o expertos. En inglés se ha recurrido telegráficamente a la frase **invited scientific papers**, es decir, trabajos científicos solicitados de antemano. El simposio, que es una reunión, no consiste en trabajos o documentos o monografías; puede sí consistir en el examen de trabajos. En consecuencia, habría que decir:

> En el simposio se examinarán diez trabajos científicos solicitados de antemano.

En un informe se lee:

"Se adoptarán profundas y elaboradas medidas...".

Si estuviéramos revisando este texto, nos llamaría la atención los adjetivos empleados, pues no se puede con propiedad hablar de medidas "profundas" a diferencia de "medidas superficiales". ¿Qué se ha querido decir? Tal vez "medidas radicales" o "medidas relacionadas con el fondo del asunto", en contraste con aquéllas que se relacionan con un aspecto secundario del mismo. En cuanto a "elaboradas" posiblemente se quiso decir "complejas". Lo ideal en este caso sería poder consultar al autor del texto o a alguien familiarizado con la adopción de estas medidas para aclarar los conceptos, porque es evidente que los adjetivos usados son ambiguos.

Presentaremos algunos ejemplos de problemas a los que puede dar lugar la traducción:

De acuerdo con lo que señalan los datos recopilados por la Oficina de Planificación Agrícola...

En esta frase hay palabras de sobra. Hubiera bastado:

De auerdo con los datos recopilados...

O mejor aún:

Conforme a los datos recopilados...
Según los datos recopilados...

Del mismo modo, en lugar de:

Los datos señalan que las exportaciones de cobre llegaron a...

pudo haberse dicho:

> Según los datos, las exportaciones de cobre llegaron a...

Un ejemplo más:

> Los restantes minerales que conforman el ítem experimentaron una disminución del 5%.

Aunque el sustantivo "ítem" ha sido aceptado por la Real Academia de la Lengua ¿por qué no usar "rubro" o "partida", que es mucho más claro para el gran público? La frase pudo haberse sintetizado como sigue:

> Los restantes minerales que conforman el rubro disminuyeron en 5%...

El uso de la preposición **con** como sustitutiva de un verbo es frecuente en frases anómalas como ésta:

> Es casado, con tres hijos y dos nietas.

En lugar de:

> Es casado; tiene tres hijos y dos nietas.

La frase siguiente es, a todas luces, anómala:

> A pesar de las dificultades económicas que, como nunca nos fueron adversas, el Gobierno **continúa desarrollando e impulsando** la aplicación de sus políticas sociales, que van directamente en beneficio de los más necesitados.

El Gobierno ¿continúa desarrollando... la aplicación de sus políticas sociales, o continúa desarrollando sus políticas sociales? Sin duda se quiso decir lo segundo, salvo que el verbo "desarrollando" no es el más acertado en este caso. Al traducir la frase a otro idioma (inglés o francés, por ejemplo), el traductor avezado verá el problema, como también se percatará de éste el revisor y la frase tal vez quede como sigue:

> "...el Gobierno continuará formulando (o perfilando) sus políticas sociales que van directamente en beneficio de los más necesitados e impulsando su aplicación".

En un reportaje sobre los doce artículos entre "los más destacados de 1984" en opinión de la revista norteamericana **Fortune**, se lee:

> La elección fue realizada considerando "la originalidad del producto, las características de su introducción al mercado, la competencia que debió afrontar, y la controversia que finalmente produjo".

Nada agrega "fue realizada", puesto que evidentemente se realizó una elección. Lo mismo pudo haberse dicho con más flexibilidad sin haber recurrido a la frase sujeto-predicado:

> En la elección se tomaron en cuenta "la originalidad del producto, etc.".

Dos observaciones más: en vez de "introducción al mercado" es preferible "introducción en el mercado" y mejor aún "incorporación en el mercado" y "la controversia que finalmente suscitó", o "a que dio lugar", en lugar de "que produjo".

Otro ejemplo de frase poco feliz y en la cual el traductor debe detectar problemas:

> Entre las características que posee (la fotocopiadora Laser Canon LBP-CX) se cuentan su impresión silenciosa, su enorme capacidad y resulta poco conocida en el mercado dado su alto costo:

Está bastante claro que se han mencionado sólo dos características introducidas por el posesivo **su** y que después de "capacidad" se expresa una idea adicional acerca del producto. En consecuencia, podría haberse dicho:

> Entre las características que posee figuran su impresión silenciosa y su enorme capacidad; es poco conocida en el mercado por su alto costo.

o bien, si su elevado costo se considera una característica, habría que reestructurar la última parte de la frase para señalarlo. Tendríamos entonces que decir, después de "silenciosa",

> "...su enorme capacidad y su elevado costo, por lo que es poco conocida en el mercado".

Es de esperar que el traductor o el revisor al leer la frase siguiente se dé cuenta de que algo anda mal:

> **El principal empleo** del cloruro de potasio **se encuentra** en fertilizantes, productos de farmacia, industria fotográfica y nutrientes.

La redacción que configuran las palabras subrayadas no es la más atinada. La idea es:

El cloruro de potasio se emplea principalmente en fertilizantes, etc.

En el ejemplo siguiente, aunque se entiende lo que se ha querido decir, la frase a partir de la preposición "para" está mal hilvanada:

En los países industrializados se hacen estudios serios **para la propulsión de camiones** con energía proveniente de baterías, como solución alternativa en una eventual escasez de petróleo.

¿Para qué se hacen estudios serios (minuciosos, detenidos)? Con el fin de utilizar la energía proveniente de baterías en la propulsión de camiones ante la eventual escasez de petróleo. Y el ejemplo siguiente, en el que la redacción ha sido víctima de un atropello:

Desde el pasado lunes, el máximo dirigente soviético, Yuri Andropov, llega cada mañana a su despacho del Kremlin **con una visible y habitual paralización del tránsito** en la zona más céntrica de Moscú.

En verdad, la frase hasta las palabras subrayadas hace reír. Es una traducción del ruso, o algo falló en la redacción, porque no es posible que alguien llegue a su despacho "con una visible y habitual paralización del tránsito". Pero sí puede suceder que dicho personaje "paraliza el tránsito en forma patente y habitual cada mañana al llegar a su despacho".

El pasaje siguiente, tomado de un informe, necesita revisión:

En la reunión se demostró que la comunidad científica

está en condiciones de enriquecer su contribución al esclarecimiento y solución de los problemas ambientales del país de contar con instrumentos adecuados de comunicación y difusión hacia la comunidad nacional y en particular hacia sus niveles de decisión.

Fuera de un par de detalles —"aporte" parece mejor que "contribución" en este caso y la adición de "a la" antes de "solución" para equilibrar la frase— podría creerse que "de contar con" continúa una enumeración indicada con "de enriquecer". Pero no es así: "de contar con" significa aquí "si se contara con" o "si se dispusiera de". Sería preferible entonces usar cualquiera de estas dos formas para evitar esa ambigüedad. Aunque hemos recomendado el empleo de esta fórmula —"de ser posible", "de no mediar otras circunstancias"— por ser más breve y más liviana que la que exige el subjuntivo (si fuera posible, si no mediaran otras circunstancias), en el pasaje que examinamos la fórmula con el subjuntivo esclarece mejor el contenido del mismo. Eso de la "comunicación y difusión hacia", si bien se entiende, no está muy claro: no se precisa lo que se va a comunicar y a difundir y, por otra parte, se comunica o difunde **a** en lugar de **hacia**. Estas objeciones quedan superadas con la redacción siguiente:

> En la reunión se demostró que la comunidad científica estaría en condiciones de enriquecer su aporte al esclarecimiento y a la solución de los problemas ambientales del país si contara con instrumentos adecuados para comunicar y difundir sus trabajos (hallazgos) a la comunidad nacional y, en especial, a sus niveles de decisión.

Otra frase tomada del mismo informe:

> La comunidad científica está en condiciones de prestar

una contribución significativa en la realización de los cambios antes señalados.

La redacción siguiente más compacta mejora la frase y evita la cacofonía que originan los sustantivos "contribución" y "realización".

> La comunidad científica está en condiciones de contribuir de manera significativa a lograr los cambios antes señalados.

Muy frecuente es la fórmula "causar que + subjuntivo" en frases como la siguiente:

> ...estas bacterias pueden **causar que** la planta **muera** por el daño de la helada.

El verbo "causar" anuncia casi siempre un sustantivo: la muerte, un accidente, un incendio, una explosión, etc. De modo que, con un poco de cirugía, la frase precedente podría aligerarse:

> ...estas bacterias pueden causar la muerte de la planta por el daño de la helada.

Con un sinónimo de **causar** encuentro otra frase semejante:

> Asimismo, un proceso de modernización **ha ocasionado que** el ejército **se sovietice** en forma creciente.

Se evitaría esa construcción engorrosa si se dijera simplemente:

> Asimismo, un proceso de modernización ha sovietizado el ejército en grado creciente.

Tal vez por haberse parafraseado mal lo manifestado a un periódico se lee:

> ...informó que la importancia de un futuro puerto para Punta Arenas es "una aspiración nacional, regional y de la Armada".

Es evidente que "la importancia de algo", un puerto en este caso, no puede ser una aspiración. La aspiración es tener un puerto o contar con uno. Se han trabado dos ideas: la necesidad de disponer de un puerto y la importancia que se le asigna. Habría que haber combinado armoniosamente ambas ideas diciendo, por ejemplo:

> "...informó que un futuro puerto para Punta Arenas, que reviste gran importancia, es una aspiración nacional...".

A veces, poco antes de terminar un discurso, capítulo o informe, su autor empieza un párrafo con **Finally**,..., pero continúa su exposición y más adelante vuelve a decir **Finally**,... y la termina. En castellano bastará con traducir sólo el adverbio del párrafo final: **Por último** o **Finalmente**, etc. Distinto es el caso en que **Finally** pone fin a una enumeración, el autor prosigue su exposición y la termina sin volver a usar el adverbio.

COMO ALIGERAR UN TEXTO

Del escritor Roberto Louis Stevenson se ha dicho que la mayor virtud de su estilo consiste en no decir nunca nada innecesario, y en no decir nunca nada dos veces: "Cuando tengáis algo que decir" —aconsejaba— "decidlo lo más claro que podáis". Estas normas no se han seguido en los tres ejemplos siguientes que podrían haber sido traducción del inglés. En estos párrafos hay palabras inútiles que alargan las frases sin motivo válido. En tales casos, el traductor tiene libertad para recortar, acomodar y expresar mejor las ideas.

Examinemos el primer ejemplo:

> ¿Por qué hay un deterioro tan grande en las carreteras chilenas? —Las carreteras se deterioran por diversas razones. Uno de los motivos es porque se diseñaron hace 15 años y fueron proyectadas para camiones y vehículos de tonelaje mediano.

Pudo haberse dicho:

> ¿Por qué hay un deterioro tan grande en las carreteras chilenas? —Por diversas razones (motivos) y, entre otras, porque se diseñaron hace 15 años y fueron proyectadas...".

Segundo ejemplo:

> Hay diversas autoridades en la materia —informan. Entre éstos están Kenso Tang, con su proyecto Bahía de Tokio, en Japón, en el año sesenta. También es

importante Kiyonori y Kikutake, con su proyecto Aqua-
polis Okinawa, en 1975, que es netamente flotante...

Pudo haberse redactado con más economía como sigue:

Informan que hay diversas autoridades en la materia:
por ejemplo Kenso Tang, con su proyecto... en el año
60, como asimismo Kiyonori y Kikutake, con su
proyecto...

Tercer ejemplo:

Los animales fueron divididos en seis grupos de acuerdo a su función. Ellos son los de caza; trabajo, terriers;
toy o pequeños y falderos o compañía.

Las palabras "Ellos son los..." están demás. Bastaba con
colocar dos puntos (:) después de "función" y enume-
rar las distintas clases, de modo que se dijera:

"Los animales fueron divididos en seis grupos según
su función: de caza,...".

Obsérvese que se ha sustituido "de acuerdo a" por "según", más breve y castizo.

El tercer ejemplo recuerda esos pasajes en inglés, en
que también hay palabras de sobra:

**The delegate of the United Kingdom made some recom-
mendations. They are:**

Es muy posible que el traductor principiante traduzca
todas estas palabras:

"El Delegado del Reino Unido formuló algunas recomendaciones. Estas son": (se mencionan a continuación).

El traductor maduro, sensato y experimentado, hará caso omiso de las palabras **They are** y dirá simplemente:

"El Delegado del Reino Unido formuló las siguientes recomendaciones:"

Si la frase en inglés fuese:

"**...made two recommendations. They are:**"

en castellano podría decirse:

"...formuló las dos recomendaciones siguientes:"

Otro procedimiento para alivianar un texto consiste en usar el verbo en vez del sustantivo en frases donde este último usurpa la función de aquél:
Ejemplo:

"La gestación tiene una duración de 114 días".

En este ejemplo no sólo se advierte cacofonía originada por las palabras "gestación" y "duración", sino que pudo haberse eliminado diciendo:

"La gestación dura...", o "se realiza en 114 días".

Otro ejemplo del mismo texto:

"La etapa de desarrollo del embrión tiene una duración de 11 a 15 días".

Más breve y correcto sería:

"El embrión se desarrolla en 11 a 15 días".

En la sección sobre frases de relleno[1] se ha mencionado ya la eliminación de vocablos o expresiones que constituyen "muletillas", como: **It should be added** (Habría que agregar), o **Furthermore**, (Además,).

Un texto también puede aligerarse evitando la repetición[2].

En el ejemplo siguiente, la frase inicial "De esta manera" no desempeña ninguna función especial: es tan sólo un eslabón.

> "De esta **manera**, es difícil conocer sus costumbres, creencias y tradiciones que parten desde una **manera** diferente de caminar (por el equilibrio invernal en la escarcha y la nieve) hasta..."

El autor de esta frase tal vez no se percató de la repetición del vocablo "manera". Pudo haber dicho:

> "Es, pues, difícil conocer sus costumbres que van desde una manera diferente de caminar..."

Se aligera una frase o párrafo empleando el sustantivo en lugar del subjuntivo, como en el ejemplo siguiente:

> "Una de ellas (formas de trasnochar) **consiste en que varias personas se reúnan**, con cualquier pretexto, a comer en casa".

Mejor:

> "...consiste en la reunión de varias personas..."

---

[1]Véase pág. 117.
[2]Véase sección sobre **Repetición**, pág. 190.

En las definiciones se encuentra con frecuencia esta fórmula "consiste en" más un infinitivo.

Ejemplos:

El sistema democrático **consiste**, precisamente, **en** utilizar el mecanismo del voto para elegir a las autoridades.

El problema político de hoy **no consiste en** sumar esbozos de partidos ni fuerzas nominales.

VERIFICACION DE CITAS,
SIGLAS Y NOMBRES DE ORGANISMOS

La comprobación de citas es parte esencial de la tarea del traductor. Es a él a quien corresponde buscarlas. Por ejemplo, si se cita un pasaje de la Biblia debe conseguir una buena versión en castellano de esta obra para localizarlo. Otro tanto hará si se cita una obra de los clásicos cualquiera que sea el idioma. Tendrá que buscar la mejor traducción al español de las obras de estos autores.

En el caso de proverbios, procurará asimismo encontrar la mejor traducción posible y la más conocida en el país de que se trate. Si, por falta de tiempo, o por encontrarse en reunión en un lugar donde escasean las bibliotecas o fuentes bibliográficas, ha de traducir él mismo las citas e indicar en una nota de pie de página que la traducción ha sido hecha por él.

En un documento oficial suelen citarse párrafos o pasajes de informes o de documentos, como decisiones, resoluciones o recomendaciones antes aprobadas. El traductor tiene el deber de consultar esas fuentes y de incorporar la cita en su versión en castellano al texto en vías de traducción. Puede suceder que se hayan deslizado errores en el material que haya de citar. ¿Qué hace, entonces, el traductor? Si el error es muy grave, debe corregirlo. Si el error es de menor cuantía, puede dejarlo. A veces, se le dirá que no modifique el material citado aunque haya error. Otra veces, algún delegado o persona que asista a la reunión en que se examina el texto traducido "descubre" el error y sugiere que se corrija. A menudo, sin embargo, los participantes en reuniones "no descubren" estos errores; únicamente el traductor los detecta.

A veces, es el propio traductor quien ha cometido un desliz y lo descubre. Así de ingrata es la tarea del traductor; a pesar del esmero y la concentración que dedique a su labor, es difícil que no se escapen errores.

Pero, felizmente, éstos pasan inadvertidos y es él quien los localiza... aunque ya sea tarde.

En algunas ocasiones, el autor del documento de que se trata no ha indicado la fuente de la cita mencionada, ni identifica al autor de la misma. El traductor debe, en tal caso, consultar a éste, de ser ello posible y, si no lo es y no logra determinar su procedencia, tendrá que traducirlo él mismo.

Igualmente importante, como se ha señalado en otra sección, es verificar el nombre de organismos y entidades nacionales e internacionales para no bautizarlas de nuevo. El traductor debe indagar el nombre oficial y correcto de dichos organismos. Una entidad que se rebautiza con frecuencia es el **Atomic Energy Agency**, con sede en Viena. Su nombre oficial es **Organismo de Energía Atómica** y no "Agencia de Energía Atómica", denominación que se reserva para la entidad del mismo nombre dependiente del Gobierno de los Estados Unidos de América a fin de distinguirla de aquélla. La traducción que suele darse al organismo estadounidense **Agency for International Development** es otro ejemplo de la tendencia a bautizar de nuevo a entidades que ya tienen su partida de nacimiento, en lugar de verificar su nombre oficial. Muchas veces se le traduce por "Agencia Internacional de Desarrollo" en lugar de **Agencia para el Desarrollo Internacional**.

En algunos casos se conserva la sigla inglesa en castellano; por ejemplo FAO (inglés: **Food and Agricultu-**

re **Organization**; castellano: **Organización de las Naciones Unidas para la Agricultura y la Alimentación**. Aquéllos que por error inviertan el orden de los sustantivos y dicen "para la Alimentación y la Agricultura" podrían guiarse por la realidad: primero es la Agricultura, como que es fuente de la Alimentación. UNESCO **(United Nations Educational, Scientific and Cultural Organization)**, que en castellano es Organización de las Naciones para la Educación, la Ciencia y la Cultura, conserva también la sigla de su denominación inglesa. Otras veces, la sigla refleja el nombre de cada organismo en su respectivo idioma: WHO **(World Health Organization)**, OMS (Organización Mundial de la Salud).

Con respecto a los organismos de la OEA (Organización de los Estados Americanos) (inglés: OAS, **Organization of American States**), en muchos de ellos se usa en inglés la sigla del nombre en castellano.

El traductor tiene asimismo el deber de verificar las siglas que encuentre en su trabajo.

TITULOS Y SUBTITULOS

En la traducción de títulos y subtítulos el traductor encuentra una buena oportunidad de demostrar su espíritu creador y la libertad de que goza.

Siempre he observado una gran diferencia entre el inglés y el castellano en la formulación de títulos, subtítulos y capítulos de monografías o trabajos de investigación. Mientras que en castellano se busca, o se buscaba, en general una frase breve y sobria para un título, en inglés muchas veces éste se enuncia como una pregunta, una fórmula o una frase.

Hoy día se tiende al barroquismo en la formulación de títulos; son bastante largos tanto en literatura como en el cine y en el teatro. Por ejemplo, un libro que llegó a ser famoso en el ambiente norteamericano se titulaba **How to make friends and influence people**. En castellano quizá le hubiéramos dado por título **La amistad** e incluido una sección sobre ese aspecto.

Por la prensa me entero de un reciente libro cuyo título se inicia con este mágico "Cómo": **How to make a man fall in love with you**. Según se comenta, su autora —Tracy Cabot— "revela una serie de formas sencillas y de sentido común **para** que la mujer interesada se convierta en tentación irresistible **para** el hombre de sus sueños". Con esta información, el traductor podría sugerir más de una traducción de ese título. Y de paso advertimos la repetición de la preposición **para** que pudo evitarse si, después de "sentido común", se hubiera dicho "que ayudan a la mujer a convertirse en...".

Estos títulos y otros semejantes —Cómo bajar de peso en cinco días, Cómo ganar en la lotería— tienen gran atractivo por el sentido práctico que irradian y por la fórmula o clave que (se presiente) contienen para lograr el objetivo anunciado.

Un éxito teatral norteamericano se titula: **On a clear day you can see for ever**, una simple frase con algo de poesía.

En los documentos de organismos internacionales, ya se trate de informes o estudios de casos, abundan los títulos y subtítulos y algunos de éstos ponen a prueba el sentido común del traductor. La traducción literal de algunos no parece adecuada para encabezar el capítulo o la sección de una monografía. A veces hay que leer primero el capítulo al que corresponde determinado título o subtítulo en inglés para encontrar la clave de uno que calce bien.

Viene a la memoria el título que se le dio en castellano a la famosa obrita del educador norteamericano John Dewey: **How we think**. En lugar de "Cómo pensamos" se optó por **La psicología del pensamiento**.

Uno de los libros más vendidos en 1983: **The Fifth Generation: Artificial Intelligence and Japan's Computer Challenge to the World**, de Pamela McCorduck en colaboración con Edward A. Feigenbaum. Y el autor de la interesante colección de ensayos —**The Lives of a Cell**— ha escrito **Late Night Thoughts on Listening to Mahler's Ninth Symphony**.

En general, los títulos deben ser breves y "sonar bien", es decir, ser eufónicos.

LIBERTAD DEL TRADUCTOR

A menudo se piensa que en su tarea de transferir ideas de un idioma a otro el traductor nada aporta de sí, ya que se limita a verter ideas ajenas. Hasta se ha dicho que la traducción es una labor mecánica. Esta aserción dista mucho de la realidad, como lo demuestra el hecho de que la traducción de un texto hecho por una persona puede ser mejor que la de otra, no sólo por su fidelidad al original, sino también por su forma. Aun suponiendo que el traductor haya sido fiel al texto original, su redacción quizá revele mejor dominio del idioma al que ha traducido, un vocabulario más maduro y refinado y más soltura en la expresión que la de otro. El traductor puede, junto con respetar fielmente las ideas del texto, darle a éste en la lengua a la que traduce la redacción que sea más apropiada. En esta tarea realiza una labor creadora ya que hace intervenir sus conocimientos lingüísticos, su educación y su cultura. Cada traducción llevará el sello del traductor. Algunas traducciones serán más pulidas o refinadas que otras; el vocabulario usado será de más alto nivel y se emplearán con acierto los giros del idioma. Se prestará la debida atención a la construcción de frases.

Por ejemplo, no cabe duda de que la segunda versión presentada en castellano refleja mejor el texto inglés.

Ejemplo:

We not only take it for granted — we tend to talk about the biological revolution as though expecting to make profits from it, rather like a version of last century's industrial revolution. All sorts of revolutionary changes are postulated for the future, ranging from final control of human disease to solutions of the world food and population problems.

No sólo la damos por sentado — tendemos a hablar de la revolución biológica como si esperáramos hacer utilidades de ella, más bien como una versión de revolución industrial del siglo pasado. Toda clase de cambios revolucionarios en la tecnología se postulan para el futuro, variando desde el control final de la enfermedad humana a soluciones de los problemas mundiales de alimentos y población.

No sólo damos por un hecho la revolución biológica, sino que tendemos a hablar del tema como si esperáramos sacar partido de ella, algo así como una versión de la revolución industrial del siglo pasado. Para el futuro se adelanta toda clase de cambios tecnológicos revolucionarios, que varían desde el control definitivo de las enfermedades humanas hasta la solución de los problemas mundiales de alimentación y población.

A veces el traductor puede tomarse algunas libertades al transferir ideas de un idioma a otro, sin menoscabar el contenido del texto que esté traduciendo. En otras palabras, tiene libertad para estructurar con corrección el texto en su idioma. Y con tal finalidad, puede:

1.

Desmalezar. Eliminar lo que es superfluo, como muletillas y frases de relleno, con lo cual puede reducir el texto español que en la traducción suele resultar más largo que el inglés. Algunos autores o redactores de informes acostumbran iniciar cada párrafo aparte con frases como éstas: **It should be pointed out** ... (Hay que señalar, cabe señalar, o Debe señalarse); **It should be added** ... (Conviene añadir o agregar); **It should be emphasized** ... (Es preciso subrayar, enfatizar o destacar). O bien, las insertan con mucha liberalidad en el texto como para abultarlo. Estas frases debieran suprimirse en general, pues nada agregan al texto original.

Ejemplos:

Hay que señalar que existe mucha variación en los requerimientos, tipo e intensidad de la poda.

La frase debió empezar con "Existe ..." o "Se observa ..." o pudo haberse dicho:

Los requerimientos, tipo e intensidad de la poda varían considerablemente (en alto grado).

2.

Omitir adjetivos y sustantivos redundantes, tales como **existing** (existente), **available** (disponible) y otros. En inglés es muy frecuente **to take apropriate action** ("adoptar medidas adecuadas"). Ahora bien, nadie va a adoptar medidas inadecuadas para aumentar, por ejemplo, la producción de trigo. Sería preferible decir: "adoptar las medidas que sean necesarias para ...", aunque tampoco agrega mucho y, naturalmente, no se adoptarán medidas innecesarias.

Este mismo problema plantean los adjetivos "existente", "disponible" o "asequible" en frases como **to explore the existing resources**, que podría traducirse por "explorar los recursos del país", si de eso se trata, pues es natural que no se van a explorar recursos inexistentes. El traductor debe usar su criterio para omitir estas palabras, pues es probable que en el texto se aluda a los recursos "existentes" y no a los "inexistentes" o a los "futuros".

El sustantivo **pattern** (patrón, pauta, norma, modalidad ...) puede omitirse en algunas frases sin perjudicar el sentido de éstas, como en el ejemplo siguiente:

The pattern of distribution of child mortality

Bastará con decir: "**La distribución de la mortalidad infantil**".
Otro ejemplo:

The spectrum of concern quickly broadened. El interés se amplió (se propagó) rápidamente.

3.
Eliminar adverbios. En inglés se usan comúnmente adverbios como **however** (sin embargo, no obstante) que, en muchos casos, podrían sustituirse por "pero", sin necesidad de iniciar una nueva frase.
Ejemplo:

The transition is to be carried out under an overall strategy of equipment replacement. This is not to say, **however**, *that each item of equipment replaces an old one; the situation is much more intricate.*
La transición se efectuará conforme a una estrategia general de reemplazo de equipo, pero esto no significa que cada pieza de equipo nuevo sustituye a una antigua; la situación es mucho más complicada.

Otro adverbio del que se abusa en inglés es **furthermore**: "además", "por otra parte", "a mayor abundamiento" que, en general, es superfluo y podría suprimirse. En la traducción al castellano, habría que racionar el empleo de adverbios, ya que por ser palabras extensas abultan el texto y si se usan en exceso originan cacofonía con su terminación.

Para evitar la cacofonía o ahorrar espacio, se podría recurrir a frases adverbiales.

Ejemplo:

The staff is locally recruited and selected.
El personal es contratado y seleccionado a nivel local,

She has improved considerably:
Ella ha mejorado en alto grado, o "o en gran medida", o simplemente "mucho".

4.

Recurrir de vez en cuando a la frase intercalada, aunque no la hubiere en inglés, para interrumpir un largo parlamento o lograr una mejor redacción.

Ejemplos:

Jack is a Canadian musician and is well-known in the place.
Jack, músico canadiense, es muy conocido en el lugar (la localidad).

Gray Rock is a new mining center and has about 16,000 inhabitants.

Gray Rock —(un) nuevo centro minero— tiene alrededor de 16.000 habitantes.

En ambos casos puede suprimirse el artículo indefinido.

5.

Sintetizar: En la frase siguiente el traductor puede ganar espacio, pues siempre es útil para que el texto español coincida lo más posible en longitud con el texto inglés.

The Consultant wishes to make some recommendations. These are:

El Consultor desea formular algunas recomendaciones, a saber:

Accounting can be divided in different categories. These are:

La contabilidad puede dividirse en las categorías siguientes:

Si bien en inglés puede ser correcta esta construcción que consiste en anunciar la enumeración con **These are**, en castellano resulta más fluida la redacción presentada en los ejemplos precedentes.

A veces se alargan las frases con palabras que nada agregan al fondo del asunto y que podrían sintetizarse con provecho.

Examinemos el ejemplo siguiente:

Con estas nuevas unidades de vigilancia nutricional, **el total** en el país **alcanzará la cifra** de 85 unidades destinadas a evaluar el estado de nutrición de los niños

Hemos subrayado las palabras superfluas. Si esta frase fuese traducción literal del inglés, esas palabras podrían haberse suprimido de modo que se dijera:

Con estas nuevas unidades de vigilancia nutricional, habrá 85 en el país ...

De un artículo titulado *Hambre*, enviado al diario **El Mercurio** desde los Estados Unidos de América, he tomado los ejemplos siguientes, en los cuales se han subrayado las palabras o frases que el traductor pudo omitir al efectuar la traducción:

"... pero en muchos casos las personas pasaban hambre no debido a su ignorancia en cuanto a dietas ni por **razones relativas a una** escasez de dinero en el bolsillo.

La autora podía señalar ... cuatro alimentos básicos que satisfacían el 99 por ciento de nuestros requerimientos básicos. **Se trataba del** trigo, **la** leche en polvo descremada, **los** porotos secos y **la** manteca de cerdo.

La estudiosa hacía una sencilla propuesta. **Era la siguiente**: que se proporcionasen cantidades ilimitadas de estos alimentos a todo aquél que los quisiera".

Habría que haber sustituido el punto (.) por dos puntos (:) después de "básicos" (segundo párrafo) y después de "propuestas" (tercer párrafo).

Un último ejemplo, presentado por motivos distintos:

> **Tal como son las cosas en la actualidad,** los Estados Unidos **gastan** 312 millones de dólares en bienestar social. En 1968 se **gastaban** (en valores constantes para el dólar) poco más de 100 mil millones de dólares.

La frase subrayada con que se inicia el párrafo es, sin duda, traducción de **As things are now, As matters now stand** o **As things now stand** que hubiera sido preferible traducir "En las circunstancias actuales" o sencillamente "En la actualidad". El verbo "gastar" se ha usado dos veces; en el segundo caso pudo haberse sustituido por "se invertían". Había, además, un "gasto" y otro "gastar" en el párrafo siguiente (omitido).

A veces, el traductor se contagia con la palabra o frase inglesa y la traduce literalmente sin reparar que en castellano tiene el vocablo exacto para traducirla. Ejemplos: **lack of interest.** Mejor que "falta de interés" es "desinterés", y por "falta de conocimientos" es a veces preferible "desconocimiento". De esta manera se economiza también espacio, que se necesitará en otras circunstancias cuando la versión en castellano de determinado vocablo, expresión o modismo requiera más palabras en inglés para ser expresada. Ejemplo: **feedback**: intercambio de información y experiencias (a veces: comunicación).

6.
Dividir un párrafo extenso en frases, o puntuar un pasaje como mejor corresponda.

Ejemplo:

> *Nelson remained for two and a half weeks off Abukir, landing the prisoners taken in the battle, and refitting his prizes for their voyage to England, and then, leaving Hood to establish a blockade, himself sailed for Naples.*

> Nelson permaneció dos semanas y media frente a Abukir, desembarcando los prisioneros capturados en la batalla y recondicionando sus presas para el viaje a Inglaterra. Luego, encargó a Hood que estableciera un bloqueo y se embarcó rumbo a Nápoles.

7.
Recurrir al paréntesis para encerrar una frase circunstancial.

Ejemplo:

> *We have had it our way, relatively speaking, being unique all these years, and it will be hard to deal with the thought that the whole, infinitely huge, spinning, clock-like apparatus around us is itself animate, and can sprout life whenever the conditions are right.*

> Hemos salido con la nuestra (en términos relativos), por ser sui generis por mucho tiempo, y será difícil encarar la idea de que todo el aparato mecánico, infinitamente grande, que gira y nos rodea sea animado y

pueda hacer germinar la vida cuando las condiciones sean propicias.

Muchas de estas sugerencias, al igual que otras formuladas en el presente volumen, han de considerarse en conjunto y no como un aspecto aislado de la traducción. Con la experiencia, el traductor irá descubriendo por sí solo estos trucos y los irá incorporando a su arsenal de herramientas de trabajo. Hemos querido señalar únicamente que, si bien el traductor será un esclavo desde el punto de vista de la fidelidad al texto, tendrá libertad para darle a su traducción la forma más conveniente, atendiendo a las normas de la redacción correcta. Esto lo hará sin proponérselo y sin dedicar mucho tiempo a ello, sino como parte indisociable de su función de traducir ideas y de expresarlas con acierto y cordura en su propia lengua.

En síntesis, el traductor puede proceder con cierta libertad al armar las piezas de su obra: eliminar lo que no tiene importancia, agregar lo que contribuye al sentido o a mejorar la redacción, traducir varias palabras por una y una por varias, como asimismo recurrir —cuando proceda— a otros malabarismos en aras de la buena expresión.

MANIAS Y PREFERENCIAS

En traducción, como en toda actividad humana, se detectarán manías y preferencias. Las tendrá el traductor, como asimismo el organismo o la persona para quien se traduce. Raras veces será el traductor amo y señor de su obra. A menudo, tendrá que aceptar instrucciones de otro, pero también a veces podrá imponerse. En mis días de traductora en UNESCO utilicé, en un trabajo que iba a ser revisado por mi jefe de nacionalidad española, la palabra "acería" por **steel plant**. Había aprendido bastante terminología sobre la industria siderúrgica en un contrato de traducción con CEPAL, en Santiago. Comentando mi traducción, poco después de habérsela entregado, mi jefe me dijo, con su acostumbrado buen humor: "Hay algo aquí que no puedo aceptar. Es, sin duda, un "chilenismo". Grande fue su sopresa cuando le hice ver que era un término consagrado en el Diccionario de la Real Academia de la Lengua. Después de verificarlo, restituyó "acería".

En los organismos internacionales no siempre predomina la uniformidad en la terminología y se dan casos muy extraños de falta de concordancia entre el vocabulario que utilizan. Por ejemplo, en la Organización Mundial de la Salud (OMS), Ginebra, la palabra inglesa **malaria** se traduce por "paludismo", mientras que en la Organización Panamericana de la Salud (OPS), Washington, D.C., íntimamente vinculada a aquélla, se prefiere en castellano "malaria", término más frecuente en América Latina. El adjetivo "sanitario" está boicoteado, o lo estaba, en mis tiempos, en la OPS; sólo se permitía su uso en expresiones como "artefacto sanitario", "medidas o disposiciones sanitarias". Se prefería "estadísticas de salud", "inspectores de salud", "educación en salud", o "educación para la salud". No así en la OMS, donde el adjetivo "sanitario" era de uso corriente.

Otra diferencia entre el idioma de ambos organismos: mientras en la OMS se emplea la denominación "interventor de cuentas" por **auditor**, en la OPS se usa de preferencia "auditor" o "inspector de cuentas".

El vocablo inglés **agenda** es traducido en algunos organismos por "programa de temas"; en otros por "programa"; también por "temario" (CEPAL), y en algunos quedaba como "agenda", incluso antes de haber sido aceptado por la Real Academia Española.

La traducción de **governing body** varía de un organismo a otro: "consejo de administración", "cuerpo directivo" "junta directiva". Lo mismo sucede con **Board of Directors**: "directorio", "junta de directores", "junta directiva", etc.

En las Naciones Unidas **capital formation** se traducirá más bien por "formación de capital"; en América Latina se preferirá "capitalización".

Hasta la grafía de la denominación "América Latina" varía a veces, prefiriéndose "América latina"

El traductor que acepte empleo en las Naciones Unidas o en un organismo internacional tendrá que aprender el léxico de la "casa" y familiarizarse con el vocabulario preferido y con el que es tabú.

El vocabulario puede variar del que ya conoce el traductor o del que haya aprendido en otro organismo. Tal vez descubra que no podrá decir "países pobres" ni "países subdesarrollados" y que deberá atenuar esas expresiones para no herir susceptibilidades nacionales y optar, en cambio, por "países de escasos recursos" y "países en desarrollo" (**developing countries**); en un principio se decía "países en vías de desarrollo". En algunos casos, el término "ayuda" deberá ser sustituido por "asistencia" o "cooperación", ya que un país tal vez no necesite de "ayuda" ... En los primeros días de la Organización Panamericana de la Salud, uno de los Países Miembros propuso una resolución encaminada a eliminar de los documentos de la Organización la expresión "asistencia técnica" y a sustituirla por "cooperación técnica". De modo que primero se utilizó la palabra "ayuda" como traducción de **assistance**; luego se adoptó "asistencia" y, finalmente, "cooperación" que es ahora el vocablo consagrado y, por ende, "cooperación técnica" (**technical cooperation**).

A veces, se le impondrá al traductor un término por haber cambiado el concepto o el contenido de un término. Por ejemplo, las palabras "partera", "comadrona", "matrona" (**midwife**) cuando no se trata de "partera empírica" (**lay midwife**) se han descartado en general en favor de "obstetriz" u "obstetra" para designar al profesional, hombre o mujer, que no sólo atiende a la paciente en el momento de dar a luz, sino al que hoy está capacitado para atenderla antes, durante y después del parto. Y en vez de "partería" se prefiere "obstetricia".

En los organismos internacionales tampoco hay mucha uniformidad en el formato de decisiones, recomendaciones y resoluciones, ni en la presentación de informes o presupuestos, aunque existe cierta tendencia a lograrla. En general, los organismos internacionales no se han dedicado de lleno a uniformar su terminología. Cada cual decide al respecto y, a veces, sin enterarse de la que se usa en otros organismos.

No es tarea fácil uniformar el vocabulario usado. Implicaría una continua comunicación entre organismos para intercambiar información al respecto o "boletines terminológicos" cuando los hubiere. Sería una tarea útil, pero de proporciones y quizá no habría tiempo para ello. En época reciente algunos organismos han instituido el cargo de **terminologist**, "experto en terminología", a quien corresponde efectuar investigaciones lingüísticas, preparar listas o boletines de términos y expresiones que podrían presentar problemas y publicarlos. En esta labor brinda valiosa ayuda al traductor que, a veces, pierde considerable tiempo en buscar términos técnicos o nuevos y en seguirles la pista para averiguar qué significan y si han sido ya traducidos o aceptados.

DECISIONES, RECOMENDACIONES
Y RESOLUCIONES

En las reuniones de los organismos internacionales los debates sobre un tema conducen casi siempre a un acuerdo que queda consignado en una decisión, una recomendación o una resolución.

Decisiones. Pueden ser aisladas o formar parte de una resolución. En actas o informes de reuniones una decisión puede expresarse por la fórmula.

> **It was so agreed (decided)**
> **Así queda acordado**[3].

Otras fórmulas de decisiones:

> **The Council decided to postpone the discussion of item 5 of the Agenda.**
>
> El Consejo decide aplazar el debate sobre el tema 5 del Programa.
>
> **It was unanimously decided to take note of the Report of Committee**.
>
> Por unanimidad, se decide tomar nota del Informe del Comité.

El traductor aprenderá en el organismo donde trabaje el

---

[3]Las actas se redactan en tiempo presente en castellano; en inglés se usa el pasado.

formato que haya de dar a las decisiones, ya que éstas pueden variar de un organismo a otro.

Recomendaciones. Al igual que las decisiones, pueden ser aisladas o incluirse en una resolución.
Con motivo de la inclusión de un tema en el Programa puede hacerse constar en acta o en un informe:

> **The Conference recommended the inclusion in the Agenda of the item proposed by the Delegation of Colombia**
>
> La Conferencia recomienda la inclusión en el programa del tema propuesto por la Delegación de Colombia.

En una resolución se formulan a veces varias recomendaciones. En tal caso, hay que tener cuidado de ser consecuente en la presentación de las mismas. Por ejemplo, si un organismo resuelve formular varias recomendaciones, la redacción que dé a cada una de ellas debe ser uniforme:

Recomendar: 1) que se nombre un grupo de trabajo para que estudie el problema; 2) que dicho grupo de trabajo se traslade lo antes posible a la zona afectada; y 3) que el informe correspondiente sea presentado al Consejo Directivo dentro de tres meses a contar de la fecha.

Se observará que las tres recomendaciones formuladas se inician con "que" más el verbo; la redacción no sólo ha resultado armoniosa, sino que cada una puede citarse por separado. A veces, en recomendaciones extensas se vuelve a repetir el verbo "recomendar", lo que no es necesario. La penúltima y la última recomendación se enlazan con la conjunción **y**. Si a una recomendación que se inicia con el infinitivo "recomendar" sigue otra sobre distinto asunto, se dirá:

Recomienda también (o "asimismo" o "igualmente") que...

El traductor tiene libertad para darle la forma debida a una recomendación que no esté bien redactada en el idioma original.

Resoluciones. La resolución es un "proyecto de resolución" aprobado; consta de preámbulo y de una parte dispositiva o resolutiva. El preámbulo identifica al autor de la resolución y consiste en una exposición de los motivos que la justifican. Puede tener uno o varios párrafos o considerandos. A veces, consta de un solo párrafo. La parte dispositiva o resolutiva, que se inicia con el verbo RESUELVE, comprende uno o varios párrafos. En este último caso, se enumeran para facilitar su referencia.

Los párrafos del preámbulo se separan con punto y coma (;), salvo el último al final del cual se coloca coma (,); los de la parte dispositiva se separan con punto (.).

MODELOS DE PROYECTOS DE RESOLUCIÓN

Dos formatos distintos:

I.   La Asamblea General,

Resuelve:

1. Celebrar su próximo período de sesiones en la ciudad de Los Angeles.

II. La Asamblea General,

1. Resuelve celebrar su próximo período de sesiones en la Sede de las Naciones Unidas, en Nueva York.

En el formato siguiente ambas partes constan de un solo párrafo.

III. El Comité Ejecutivo,

Considerando la necesidad de recabar la asesoría de un experto en el financiamiento del sector salud,

Resuelve:

1. Sugerir al Consejo Directivo que designe un experto en financiamiento del sector salud para que lo asesore al respecto.

Ejemplo de proyecto de resolución con dos párrafos en cada una de sus partes:

IV. El Consejo Directivo,

Habiendo examinado el informe del Grupo de Trabajo sobre la Nutrición Infantil en América Latina;
Consciente de la importancia del estudio realizado,

Resuelve:

1. Tomar nota del Informe del Grupo de Trabajo sobre la Nutrición Infantil en América Latina.
2. Transmitir dicho informe a la Asamblea General para que lo examine y decida sobre el particular.

Es práctica conveniente repetir en uno de los párrafos de la parte dispositiva lo esencial de la resolución ya indicado en uno de los considerandos. Así se ha hecho en el proyecto de resolución III (designación de un experto en financiamiento del sector salud para que asesore al Comité), y IV (Informe del Grupo de Trabajo sobre Nutrición Infantil en América Latina).

Un proyecto de resolución puede adoptar también la forma siguiente:

Por cuanto:

Las investigaciones sobre el uso de la energía solar realizadas por la Universidad de X... han estimulado...

Dichas investigaciones revisten especial interés... EL COMITÉ DE CIENCIAS DEL AMBIENTE.

Resuelve hacer suyas las conclusiones de la Universidad de X.

Recomienda la continuación de las investigaciones mencionadas.

Felicita a la Universidad de X por el interés demostrado en el uso de la energía solar en beneficio de las poblaciones de escasos recursos.

Este formato, como los antes presentados, tiene variantes. El traductor debe atenerse al modelo que se le indique, o que prevalezca en el organismo para el cual trabaja. A veces, se le pedirá que él mismo redacte un proyecto de resolución sobre determinado asunto y es muy posible que se le indique el tenor de sus párrafos principales.

Puede ser de utilidad presentar en esta sección algunas palabras, además de las usadas en los ejemplos aquí consignados, con que suelen iniciarse los párrafos del Preámbulo y los verbos principales que se utilizan comúnmente en la parte dispositiva de un proyecto de resolución.

Para el Preámbulo (Preamble)

Aware of...	Consciente de...
Bearing in mind...	Teniendo en cuenta...
Being aware of the role...	Teniendo en cuenta la función...
Being convinced of the necessity...	Convencido de la necesidad...
Believing...	Convencido... Persuadido...
Concerned with...	Preocupado por...
Confident that...	Confiando en que...
Conscious that...	Consciente de que...
Considering...	Considerando... Teniendo en cuenta...
Considering the provisions...	Considerando lo dispuesto (las disposiciones)
Deeming...	Estimando...
Desiring...	Deseoso...
Desirous...	Deseoso...
Expressing gratification...	Expresando su satisfacción...
Expressing the hope...	Expresando la esperanza de...
Having examined...	Habiendo examinado...
Having considered...	Habiendo examinado...
Having studied...	Habiendo estudiado...
Having reviewed...	Habiendo examinado...
Having revised...	Habiendo revisado...
Having in mind...	Teniendo presente...
Having noted...	Habiendo observado... Habiendo tomado nota...

Having regard to...	Considerando... Teniendo en cuenta...
Having received...	Habiendo recibido...
Having taken cognizance of the offer...	Enterado del ofrecimiento...
Having taken particular note...	Teniendo en cuenta especialmente...
Having seen the report...	Visto el informe...
Mindful of...	Consciente de... Teniendo en cuenta... Atento a...
Mindful that...	Persuadido de...
Noting...	Observando... Considerando... Tomando nota...
Noting also...	Observando, además...
Observing...	Observando...
Realizing...	Convencido... Consciente... Dándose cuenta...
Realizing that...	Entendiendo que...
Recognizing the importance...	Reconociendo la importancia...
Recalling...	Recordando... Teniendo presente...
Taking into account...	Teniendo en cuenta...
Taking account of...	Tomando nota... Teniendo en cuenta...
Taking into consideration...	Teniendo en cuenta... Tomando en consideración...

Viewing with satisfaction...	Observando con satisfacción...
Whereas...	Considerando que... Por cuanto...

Para la Parte dispositiva (Operative part)

To accept...	Aceptar...
To accelerate the coordination...	Acelerar lo coordinación...
To adopt...	Adoptar... Aprobar...
To agree...	Decidir... Convenir en...
To appeal...	Hacer un llamamiento... Exhortar a...
To appoint...	Designar... Nombrar...
To approve...	Aprobar... Refrendar...
To associate itself...	Asociarse a... Hacer suya...
To authorize...	Autorizar...
To bring to the attention...	Señalar a la atención...
To call upon...	Invitar...
To commend the Director...	Felicitar al Director...
To commend the policy...	Encomiar la política...
To concur with...	Asociarse a...
To confirm...	Confirmar...
To constitute...	Constituir... Establecer...
To declare...	Declarar...
To define...	Definir... Determinar...
To designate...	Designar...
To determine...	Determinar...
To direct...	Encargar...

To emphasize...	Insistir en... Poner de relieve...
	Subrayar... Hacer hincapié en... Enfatizar...
To endorse...	Suscribir... Hacer suya... Aprobar...
To ensure that...	Disponer que... Lograr que...
	Garantizar que...
To establish...	Establecer...
To express its appreciation...	Expresar su satisfacción (agradecimiento)...
	Apreciar en su justo valor...
	Declararse satisfecho...
To express its concern...	Expresar su preocupación...
To express its confidence...	Expresar su confianza...
To express the hope...	Expresar la esperanza...
To express its satisfaction...	Expresar su satisfacción...
To instruct the Director...	Encomendar al Director...
To invite the assistance...	Solicitar la colaboración...
To invite the Governments...	Invitar a los Gobiernos...
	Encarecer a...
To note with satisfaction...	Tomar nota con satisfacción (complacencia)...
To observe...	Observar... Comprobar...
To reaffirm...	Reafirmar...
To reassert...	Reiterar...
To recommend...	Recomendar...
To refer...	Remitir... Transmitir...

To reiterate its opinion...	Reafirmar que, en su opinión,...
	Declarar de nuevo...
	Expresar de nuevo su opinión...
To remind...	Recordar...
To report...	Informar... Rendir informe...
	Comunicar...
To request the Director...	Pedir al Director... Solicitar del Director...
To select the topic...	Seleccionar el tema...
To state...	Declarar...
To strongly recommend...	Recomendar encarecidamente...
To submit to the Council...	Someter a la consideración del Consejo...
To suggest...	Sugerir...
To take note of the report...	Tomar nota del informe...
To thank...	Agradecer... Expresar su agradecimiento...
To transmit...	Transmitir...
To trust...	Expresar el voto...
To urge the Director...	Encarecer (instar) al Director...
To again urge...	Reiterar...
To welcome...	Acoger con satisfacción...
	Dar la bienvenida...

Además de decisiones, recomendaciones y resoluciones, en las reuniones de organismos, tanto internacionales como nacionales, se formulan sugerencias, mociones, propuestas o proposiciones cada una de las cuales se expresa en el idioma y el formato que el organismo determine.

COOPERACION LINGÜISTICA
ENTRE LAS DIVERSAS DISCIPLINAS

Algunos vocablos del inglés propios de una rama del saber pasan a enriquecer la terminología de otras sin variación alguna, lo que no siempre es posible en castellano. Por ejemplo; "retroalimentación" y "realimentación", términos tomados de las ciencias de la electrónica y la computación (inglés: **feedback**) no pueden usarse en otras esferas de actividad con la soltura que permite el vocablo inglés, aunque a la fuerza ello no es imposible. Al traducir dicho término al castellano, habría que despojarlo de su acepción técnica y simplificar su significado como se ha hecho en las frases siguientes:

— Uno de los inconvenientes de la enseñanza televisada es la falta de **comunicación (feedback**) entre alumno y profesor.
— ¿Qué información le dio? (**What feedback did you give him**?) pregunta en un famoso juicio el juez a uno de los testigos.
— **No hay intercambio de ideas y experiencias** (comunicación) entre la Sede (oficina central) y sus filiales. **(There is no feedback between Headquarters and its branches**).
— No tengo **información** sobre este asunto. (I have no **feedback** on this matter).

El **input** (entrada) y el **output** (salida) de la industria se encuentran, entre otras disciplinas, en economía — la relación **input-output**: insumo-producto; en agricultura

— **agricultural output**: la producción agrícola; **industrial output**: la producción industrial; en computación (entrada y salida). En educación se habla del **input** de las universidades en el sentido de "matrícula", "alumnos matriculados" o "alumnos que ingresan", a diferencia del **output** de dichos planteles, es decir "egresados", "promocionados", "profesionales". La frase "insumo de las Universidades" sería ambigua por su posible interpretación literal como "lo invertido en la fabricación de algo" o "factores de producción" en contraste con "lo producido" o "producto final", o sea **output**.

En el catálogo de una exhibición nacional de arte, organizada por la Galería Renwick de Washington, D.C., se lee: **The success of each exhibit will depend on the input of each exhibitor**. En este caso, el vocablo es sinónimo de "contribución" "aporte". "El éxito de cada exhibición dependerá del aporte de cada participante en ella".

De la economía se ha tomado el término "consumidor" (**consumer**) que está reemplazando a "usuario" (**user**) o al "cliente" o a la "clientela" de servicios como los de salud, enfermería y otros.

El sustantivo **production** (producción) está desalojando en educación al sustantivo tradicional "formación". Muy frecuente es, pues, leer en inglés: **The production of teachers, inspectors or other personnel**: "La producción (formación) de profesores, inspectores y demás personal".

La aeronáutica ha facilitado a la economía el término **take off** (despegue de un avión) para designar el impulso ascendente de un país en el desarrollo de su economía, o "despegue económico". Por extensión, denota el acto de "emprender el vuelo" en cualquier sector. Se habla, asimismo, de las actividades que han entrado en "la fase de despegue", o sea que están listas para elevarse o lograr una expansión mayor:

El **despegue** del sector tomará tiempo.

En energía atómica el término **fallout** (lluvia o precipitación radiactiva) se ha utilizado en otros contextos. No es extraño encontrarlo en expresiones como "precipitación cultural" para indicar la influencia que un acontecimiento en determinado ambiente cultural ejerce sobre otro en distinto ambiente.

Este vocablo se usa, además, para denotar las consecuencias o repercusiones de algún hecho o medida:

> *We don't know what its fallout will be.*
> No sabemos cuáles serán sus consecuencias.

Un ejemplo de la ingeniería: el término **pipeline** ("tubería", "cañería", "ducto" en general, "oleoducto", "gasoducto") sienta sus reales en el idioma bancario y así aprendemos a usarlo para designar lo que en inglés se denomina **pipeline of projects**: inventario de proyectos, cartera de proyectos, proyectos en cartera o en tramitación.

En computación se ha creado un vocabulario muy particular que ha penetrado en otras esferas de actividad. A título de ejemplo, mencionaremos los dos vocablos siguientes:

> **hardware.** Nos es familiar en su acepción de "ferretería" o "quincallería" (artículos de metal), pero en tecnología significa "maquinaria", "equipo" o "equipos"; en el léxico computacional identifica los **componentes físicos** o los *dispositivos* que integran una computadora o computador, o un sistema de computación.

software. Denota los **programas** necesarios para interactuar con el computador (aplicación) o que instruye al computador respecto a cómo resolver un problema (operación).

Estos ejemplos revelan el dinamismo de la terminología y la vinculación lingüística entre las diversas ramas del saber. Reflejan asimismo un interesante fenómeno lingüístico del inglés: el creciente número de palabras técnicas que ingresan en el idioma diario.

CORRESPONDENCIA

Bajo este epígrafe se incluirán cartas, comunicaciones, notas, telegramas, cables y telex.

La carta propiamente dicha comprende las de tipo personal o comercial y éstas, a su vez, pueden ser de carácter informativo o sustantivo.

Para la carta diplomática se reserva el vocablo "comunicación" o "comunicación oficial". Si el texto es breve, puede ser una "nota".

Además de las categorías de correspondencia precedentes, habría que mencionar los oficios, memoranda, aide-memoires, etc. La forma o redacción de la correspondencia es importante, al igual que el mensaje que se comunique.

Ya hemos señalado que el estilo de la correspondencia varía en inglés y en castellano y subrayado algunos aspectos que expresan esa diferencia[4].

No sólo varían las fórmulas de salutación y despedida de una carta, sino que a veces la manera de comenzarla. Mientras el inglés va directamente al grano respecto al motivo que la ha originado, en castellano suele ser necesario "suavizarla" un poco, pues de otro modo resultaría muy escueta, muy rigurosa o como se dice "un poco seca". Así, en lugar de **Thanks for the information you have sent me**... diremos "Mucho le agradezco la información que me ha enviado" o "...que ha tenido a bien enviarme...".

[4]Véase **Diferencias entre el inglés y el castellano**, pág. 160.

El traductor debe tomar en consideración estas diferencias y disponer de las fórmulas pertinentes para las diversas clases de correspondencia. Aunque la traducción de una carta común y corriente parece a primera vista asunto fácil a menudo no lo es.

Examinaremos algunas de las fórmulas más frecuentes, sobre todo en la correspondencia de tipo comercial y oficial.

Fórmulas de salutación. En inglés las cartas, incluso las comerciales, casi siempre se inician con Sir, Madam, Miss, Dear Sir, Dear Madam, Dear Miss o el equivalente en plural; después de estas fórmulas se coloca coma (,). En castellano es común iniciar las cartas comerciales con:

> Señores:
> Muy señores míos:
> Muy señor mío:
> De mi consideración:

y usar dos puntos (:).

En otros tipos de cartas puede recurrirse a las fórmulas:

> Estimado señor:
> Muy estimada señora:
> Respetado señor:
> Apreciada amiga:
> Querida Lucía:
> Querido y recordado Juan:

Y terminarlas con dos puntos (:).

Algunas fórmulas de uso frecuente en inglés y su traducción en castellano, aplicables a cartas de diverso tono:

This is to inform you...:
> Me complazco en informarle...
> Por la presente me es grato informarle...

I am in receipt of your memorandum...:
> He recibido su memorándum...

I acknowledge receipt of...:
> Me es grato acusar recibo de...

In reply to your kind letter...:
> En respuesta a su atenta carta...
> En contestación a su amable carta...

I have the honor to inform you...:
> Tengo el honor de (Tengo a honra) informarle...

It gives me pleasure to send you herewith:
> Me es grato acompañarle (adjuntarle)...

It gives me great pleasure to invite you:
> Me es muy grato invitarle...

It was a great joy to receive your news:
> Mucha alegría me causó recibir tus noticias (noticias de ti)...

It was very kind of you to send me the book:
> Fue muy gentil de tu parte enviarme el libro

Thanks for your letter dated May 12, 1985[5]:
> Mucho le agradezco su carta de fecha (fechada el) 12 de mayo de 1985

I am writing to you concerning the coming meeting of the Board of Directors.
> Me refiero a la próxima reunión de la Junta Directiva.

It was very kind of you to look after my son while he was in Chile.
> Mucho aprecio las finas atenciones que tuvo para con mi hijo mientras estuvo en Chile.

---

[5]Uso en Estados Unidos. En el estilo británico, el día generalmente precede al mes: **12 May 1985**.

I was very pleased to receive the report on the special meeting...

Me fue muy grato recibir el informe de la reunión extraordinaria...

Fórmulas de despedida: En inglés y en castellano pueden distinguirse algunas categorías en estas fórmulas, según a quien vaya dirigida la carta. También en este caso, parece haber mayor variedad en castellano.

Con las cartas que se inician con **Dear** (Sir, Madam, Miss), la fórmula más apropiada es:

Yours truly,	Le saluda atentamente,
Yours very truly,	Le saluda muy atentamente,

Si la carta va dirigida a un amigo a quien hemos llamado "Dear Fred" terminaremos con:

Yours sincerely,	Muy sinceramente, sinceramente,
	Mis sinceros saludos.

En una comunicación diplomática o protocolar se usará una fórmula como la siguiente:

Accept, Sir, the renewed expression of my highest consideration.

Aprovecho esta oportunidad para reiterarle el testimonio de mi mayor consideración y estima,

O: Hago propicia la ocasión para reiterarle... (fórmula que no me parece tan atinada).

En cartas más formales en inglés, independientemente

de quién sea el destinatario, incluso la Reina de Inglaterra, se usa:

> **Yours respectfully,**
> Le saluda respetuosamente,
> Respetuosamente suyo,
> Dios guarde a usted,

En cambio, en cartas de la Administración al público, la frase más frecuente es:

> **I am, Sir, your obedient Servant**,
> Quedo de Usted, su obediente servidor.

En cartas comerciales y menos personales parece preferirse:

> De usted Atto. y SS,
> Atentamente suyo,

Algunas fórmulas de despedida de uso frecuente en inglés:

Regards,	Saludos,
Kindest regards,	Cariñosos saludos, Cariñosamente,
Fondest regards,	Afectuosos saludos, Afectuosamente,
Best wishes,	Te deseo todo lo mejor,
All the best,	Le deseo todo bien,
	Te deseo toda clase de felicidades,

Y en castellano:

> "Agradeciendo de antemano este servicio,
> Le saluda atentamente,

Le doy gracias anticipadas por este servicio,
Suyo,

La frase **Best wishes**, usada con frecuencia y, sobre todo, por los actores y actrices de Hollywood en sus autógrafos, suele traducirse por "Mejores deseos" o "Mis mejores deseos". En sentido más formal o protocolar, por ejemplo en un cable o telegrama dirigido a una reunión podría traducirse por: "Hago votos por el éxito de la reunión", "Le(s) deseo todo éxito en la reunión", etc.

El traductor encontrará otras fórmulas y expresiones epistolares en obras de autores famosos en diversos idiomas. En su trabajo, en cualquier organismo que sea, se irá familiarizando con la redacción de cartas, memos, notas, cables y mensajes que constituyen parte importante de la labor de traducción.

ACTIVIDADES AFINES

La traducción se relaciona con otras actividades en las que intervienen algunas técnicas propias de aquélla. Por ejemplo, la revisión, la redacción de actas resumidas o taquigráficas, la edición de documentos y, aunque más alejada, la interpretación. No es el propósito de esta guía describir con detalle estas actividades. Se mencionan únicamente por su parentesco con la traducción propiamente dicha.

La revisión, aunque también ha pasado a ser una actividad independiente, es inseparable de la traducción; viene a ser la etapa final de la traducción.

El traductor que ha terminado de verter un texto de un idioma a otro, debe "leer" y cotejar cuidadosamente su traducción, a menudo más de una vez antes de entregarla a quien se la haya encargado. Esta lectura crítica tiene por objeto ver que todo esté en orden: que ha traducido el texto fielmente; que no se ha saltado nada; que la terminología es adecuada; que ha comprobado las citas —si las hubiere— y el nombre de organismos; que ha resuelto adecuadamente los problemas que encontró en su tarea; que la puntuación es correcta, etc. Considerará terminada la traducción cuando, a su juicio, ya nada pueda hacer para mejorarla.

En los organismos internacionales la revisión, como tarea independiente, suele ser encomendada a un traductor-revisor o a un traductor de prestigio por su eficiente manejo del idioma de que se trate. El documento de marras puede ser un extenso informe sobre cualquier tema escrito por un experto, el cual reconoce que no escribe muy bien y que su texto necesita cierto pulimiento; o puede ser un discurso, una carta o las actas de una reunión que es preciso retocar antes de publicarlas.

En el caso de la revisión, como en el de cualquiera traducción, el traductor ha de respetar fielmente las ideas del original y limitarse a pulir la forma y la presentación del texto[6]. A veces se le autorizará a reducir la longitud del texto, lo que se logrará eliminando la repetición, lo superfluo y el material de relleno.

Si el texto producido por el traductor ha de pasar a un "revisor", éste, a su vez, lo leerá, lo cotejará con el original e introducirá los cambios que estime convenientes. En esta tarea, lo mejorará aún más desde su propio punto de vista. También puede, sin quererlo, "desmejorarlo", ya sea por no estar al tanto de la terminología en boga, por aferrarse a sus manías y preferencias, etc.

Algunos revisores consideran que su tarea consiste en poco menos que rehacer la traducción en sus propias palabras y estilo. Esto no siempre es necesario y menos aún si se trata de un texto traducido con fines informativos únicamente; lo es si el texto está mal traducido y no se ha usado el vocabulario correcto.

Redacción de actas

A veces el traductor de un organismo internacional es asignado a una reunión donde debe actuar como redactor de actas. Acta es la relación por escrito de lo tratado o acontecido en una reunión. En ésta puede examinarse un informe o elegirse una comisión especial, en la que

---

[6]Véase Apéndice 2. **Revisión comentada**, pág. 345.

habrá presentación de candidaturas, votaciones, etc. Todo esto debe reflejarse en el acta.

Las actas pueden ser resumidas o taquigráficas.

Actas resumidas. Le corresponde al traductor preparar un resumen de las intervenciones pronunciadas en una sesión, ya sea tomando nota en el lugar mismo donde ésta se celebra, o trabajando a base de la versión taquigráfica, si la hubiere. En esta tarea deberá exhibir algunas de las cualidades propias de su oficio, especialmente su capacidad de síntesis, su facultad de discernir lo esencial de lo que no lo es, su redacción y estilo impecables y su fidelidad a lo acontecido en la reunión o al texto. Al resumir lo esencial del discurso, o la intervención de un delegado o representante para incluirlo en el Acta Final o Informe ha de reflejar también las medidas (decisiones, recomendaciones, resoluciones, votaciones) adoptadas respecto de los temas incluidos en el programa o debatidos en la reunión. De gran utilidad le serán las fórmulas empleadas en el organismo donde trabaje[7].

En algunos casos se prescindirá del resumen de las intervenciones y, por la importancia del tema o del discurso, éste se incluirá en su integridad salvo modificaciones menores de estilo por parte del traductor.

Actas taquigráficas. El traductor habrá de contentarse con pulir el texto de la transcripción, el que podrá ser modificado ligeramente sólo desde el punto de vista de la forma. A veces, tendrá que recurrir a su autor o a un superior jerárquico para aclarar algún párrafo o pasaje.

Las actas pueden variar de un organismo a otro en cuanto a la longitud de las intervenciones.

[7]Véase fórmulas, págs. 119 y 297.

NOTA FINAL

La traducción es, como la educación, un proceso que dura toda la vida. Nunca se deja de aprender y, por eso, es intelectualmente estimulante y un descubrimiento constante. Cada texto que se ha de traducir significa una aventura en la que siempre se encontrará algo nuevo, algún problema no antes planteado, un nuevo desafío, una innovación en el acomodo de frases y palabras...

Al abordar un texto, el traductor bien equipado experimentará una enorme satisfacción si puede aportar a su labor parte del caudal de sus conocimientos y aptitudes, un amplio y variado vocabulario, expresiones atinadas, capacidad o facultad para detectar problemas y resolverlos y recurrir a los trucos del oficio para refinarla. Mientras más preparado esté, mejor será el resultado de su tarea. Y la realizará con más acierto y seguridad que el traductor que no lleva consigo una caja bien provista de herramientas.

La traducción requiere cultura, pero también da cultura. Nos enriquece, no sólo por el conocimiento de idiomas extranjeros y todo lo que ello implica, sino también por los temas que se enfrentan. Cada texto que el traductor resuelve profesionalmente le enseña algo.

La traducción enseña humildad, pues por mucho que el traductor sepa y haya aprendido desde el comienzo de su carrera, nunca lo sabrá todo. Continuamente necesitará un vocablo nuevo que vendrá a enriquecer su vocabulario y que le ayudará en su tarea futura. Siempre habrá margen para perfeccionarse y cierta insatisfacción, como en el arte de escribir, pues la traducción siempre llama a la revisión. Con todo, la traducción es una tarea placentera en cierto modo semejante a la de resolver un crucigrama. Implica, entre otros procesos, el de recordar lo que se sabe y lo que quizá se haya encontrado en otros crucigramas, como también buscar e investigar en diccionarios o recurrir a expertos. Y ¡qué satisfacción cuando se acierta! La diferencia estriba en que una vez terminado el crucigrama, si no hay errores de construcción, la obra será perfecta, mientras que la traducción podrá siempre ser retocada y refinada.

Hasta podría decirse que la traducción es un arte creador menor; esto se aprecia especialmente cuando el texto original no es de la mejor calidad y el traductor ha de desenmarañarlo. En última instancia, la única persona que puede juzgar acerca de la calidad de una traducción es otro traductor que conoce las dificultades que presenta un texto original deficiente.

La traducción es una tarea fascinante, pero un tanto anónima. Muy pocos asistentes a una reunión sabrán quién ha traducido al castellano cierto documento del inglés, francés o portugués. Es muy posible que el delegado bilingüe que conoce bien el castellano y cuya lengua materna es el inglés no se dé el trabajo de cotejar el texto en ambos idiomas, o que lo haga y encuentre la traducción digna de mérito. Sin embargo, no siempre sabrá a quién dirigir sus elogios a menos que realice una verdadera pesquisa.

Otras veces el texto traducido será examinado por su autor, quien le hará las modificaciones que estime convenientes y hasta puede suceder, si no conoce bien ambos idiomas, que haga correcciones que no se justifican para enmendar la plana del traductor. (Partimos del supuesto de que la traducción era buena). Por ejemplo, el autor "corrige" al traductor y sustituye en el texto un vocablo por otro más parecido al original inglés. Así, en la frase "El experto supone que el laboratorio será bastante amplio", traducción del inglés **The expert assumes that the laboratory will be large enough,** el autor sustituye "supone" por "asume", tal vez porque, según él, este último verbo refleja mejor la forma verbal inglesa. Cuando se le hizo ver que su modificación no había sido muy acertada, que en ese contexto **to assume** está correctamente traducido al castellano por "suponer", "dar por sentado", "entender" o "tener entendido", preguntó: ¿"Entonces, 'to assume' no es "asumir"?

En general, es el traductor quien a veces descubre sus propios errores, la omisión de una palabra, la elección poco atinada de un vocablo, etc., a pesar de haber hecho su trabajo a conciencia. Esto puede haber sucedido por la urgencia con que tradujo el documento, cuando buscó afanosamente la mejor expresión pero ésta no vino a la mente en el momento preciso, o por descuido. Después de entregada la traducción y si tiene tiempo para releer su versión e interés en ello, posiblemente piense: "Pude haber dicho esto, lo otro, etc." Será él casi siempre quien descubra estos gazapos y no el autor del documento o la persona que le ha encargado o confiado la traducción.

La traducción es también una tarea ingrata porque a veces el traductor tendrá que trabajar un texto, casi rehacerlo, y serán otros los que se llevarán la gloria. Así sucede con un documento mal redactado en el idioma original, o no del todo claro. Es asimismo el caso de un revisor que retoca, pule y rehace un texto que va a ser impreso, una monografía o un estudio, por ejemplo, y que, por su defectuoso estilo, ha debido ser redactado casi en su totalidad.

Queda, sí, la satisfacción de comprobar que se ha realizado lo que para muchos es imposible: llevar un texto de un idioma a otro en forma inteligible, apropiada y refinada con los recursos de que se dispone.

APENDICES

TRADUCCION COMENTADA

El pasaje siguiente es un texto no editado. Aunque a primera vista parece que no presenta dificultades, contiene una serie de escollos. Además de errores de hechos y juicios de valores que el traductor está obligado a aceptar, contiene faltas gramaticales, errores en el uso del inglés, como asimismo frases y expresiones poco felices. Todo esto debe ser afrontado por el traductor. La Enciclopedia Espasa y la Enciclopedia Británica le ayudarán a resolver numerosas dudas. Examinaremos el texto por frases.

HUGH GROTIUS (1583-1645)

Hugo Grotius, born 400 years ago on 10 April lies buried in his native Delft, where a splendid statue of him presides over the flower market. Born into a family long held in high esteem for its tradition of public service to Holland, the young Grotius at age eleven, was already both a graduate of Leyden in classics and a plenipotentiary to Paris, allegedly prompting the French king, Henry IV, to proclaim him "the miracle of Holland". Thus encouraged, Grotius took a doctorate in laws at the University of Orleans. At sixteen he was admitted to the bar and began a career as a practising lawyer and public prosecutor. At nineteen he published a play in Latin, **Adamus Exul,** *rich in baroque imagery and already presaging his vision of a harmonious moral universe to parallel the physical one then being demonstrated by Galileo.*

*Grotius, often referred to as the father of internatio-nal law, established his reputation as a jurist through, ironically, his treatise on the law of prize and booty (**De jure praedae**), based on a brief he had prepared in defen-ce of an act of piracy commited in 1604 by the Dutch East India Company. But it is from this dubious origin that he later expounded on the freedom of the seas in a work published in 1609 as* **Mare liberum**. *The thinking in his earlier writings was to reach fulfillment in his magisterial "On the Law of War and Peace" (***De jure belli ac pacis***).*

Grotius' achievement as statesman and jurist lay not in his originality, but in his rescue from the collapse and confusion of the old order in Europe the legal precepts of the Spanish school of laws, which led back through Aqui-nas to Augustine. Being careful to quote legal precedent only from antiquity, Grotius based his arguments on natural law: that is, that there is an underlying concept of right applying as a common law to all mankind. For Grotius it had its origin in God's purpose for an ordered and harmonious universe. Grotius' influence has been countered by the Positivists, those who recognize as law only decrees that can be effectively enforced. He used his legal mind to conceive a global system in which justice and right, combining natural, human and divine laws would reign supreme. His arguments can be claimed to have had a pervasive influence on the thinking of the Founding Fathers, the design of Jay's Treaty and the many attempts to strengthen the ties that bind the inter-national community, including today's United Nations. His legal arguments have applied to the freedom of the seas, the rights of neutrals and the obligations of bellige-rents, to peaceful settlement and arbitration, and to the global commons, as we now term them, as well as to human rights and fundamental freedoms, many of which have been, until recently, the commonplace of international intercourse.

Grotius wrote commentaries on the Old and New Testaments and looked to the day when Catholic and Protestants could be reconciled. His religious conviction led to his eventual undoing and in 1619 he was condemned to life imprisonment. After two years, Grotius escaped, but not before he had written some theological tracts and completed his great treatise on international law. His escape was arranged by his devoted and resourceful wife. Maria, with whom he had seven children and exchanged love letters in Greek. Appropriately, the escape took place in the trunk in which Maria sent him books from their library. Disguised as a mason, Grotius escaped to France and thence to Sweden. There he was appointed Ambassador to France, explaining that it his country had not further use for him, he was at liberty to enter the service of another.

As a diplomat, Grotius was not an unqualified success. He was diligent but not gifted in deceit or dissembling. As ambassador in Paris, Grotius had to face Richelieu, at the height of his power, to extricate Sweden from an offensive alliance injudiciously made with France. While in Paris, in 1625 he published the great work **De jure belli ac pacis**. There, he was visited by the young John Milton, who on returning to England wrote "Paradise Lost", with its many echoes of **Adamus Exul**. Grotius died in 1645 in Rostock as a result of a shipwreck in the Baltic.

Let it be said that Grotius leaves a triple legacy. Essentially, his was a vision of a social cosmos where right prevails, if nations as well as individuals comport themselves with restraint and are subject to a common law of mankind. In his long exile, throughout which he refused *commissions that might have injured the trade or interests of his country, he showed that the enduring triumph of a man is how in adversity he endures without triumph.*

HUGO GROTIUS (1583 - 1645)

1. **Hugo Grotius, born 400 years ago on 10 April lies buried in his native Delft, where a splendid statue of him presides over the flower market.**

born 400 years ago. En vez de "nacido hace 400 años", es preferible "nació hace 400 años" al iniciar una biografía.

a splendid statue. La estatua podría calificarse de "magnífica", "hermosa", "admirable", "impresionante", etc.

presides over. En inglés una reunión se preside (**is presided over**); una estatua **towers over**. Incluso en sentido figurado el uso de aquel verbo no es pertinente; "domina" refleja mejor la idea en castellano.

flower market. En algunos lugares, como en Chile, el mercado de las flores se llama "pérgola de las flores".

La frase quedaría como sigue:
Hugo Grotius nació el 10 de abril, hace 400 años. Está sepultado en Delft, su ciudad natal, donde una magnífica estatua de él domina el mercado de las flores.

2. **Born into a family long held in high esteem for its tradition of public service to Holland, the young Grotius at age eleven, was already both a graduate of Leyden in classics and a plenipotentiary to Paris, allegedly prompting the French king, Henri IV, to proclaim him "the miracle of Holland".**

Born into a family long held in high esteem. Podemos evitar este segundo "nacido" (inglés: **Born**) y sustituirlo por "descendiente de".

"Una familia que desde hacía tiempo gozaba de gran estimación", da una frase demasiado larga y, como hemos señalado antes, interesa ahorrar espacio por si más adelante se necesite para acomodar otras ideas expresadas de manera compacta en inglés. Podríamos ser más concisos y decir: "una familia desde muchos años estimada por su tradición" o "por mucho tiempo estimada por su tradición", aunque molestaría la repetición de la preposición **por**. Hemos eliminado la traducción del adverbio **high** con frecuencia traducido por "altamente", aunque "muy" bastaría en castellano. Hemos preferido "estimada" a "muy estimada", que no agrega gran cosa.

public service. Equivale a "administración pública".

plenipotentiary. En inglés incluye cualquier persona autorizada con poderes plenos; podría ser Embajador o Ministro Plenipotenciario, pero —como indican las fuentes— era sólo integrante de embajada encargado de tramitar algún asunto. En realidad, tenía 15 años cuando fue designado para este cargo.

to Paris. Habría que decir "ante la corte de París".

allegedly prompting. Frase incorrecta en inglés, ya que el participio **prompting** no tiene antecedente. Debió haberse dicho **which allegedly prompted**: lo que, según se decía (alegaba), llevó (indujo, impulsó).

Descendiente de una familia desde muchos años estimada por su tradición de servicio en la administración pública a Holanda, el joven Grotius a los 11 años no sólo se había graduado de Leyden, sino que había sido designado plenipotenciario ante la corte de París, lo que —según se decía— llevó al rey Enrique IV a proclamarlo "el milagro de Holanda".

3. **Thus encouraged, Grotius took a doctorate in laws at the University of Orleans.**

Thus encouraged. "Así estimulado" o "con tal estímulo".

Con tal estímulo, Grotius obtuvo su doctorado en derecho de la Universidad de Orleans.

4. **At sixteen he was admitted to the bar and began a career as a practising lawyer and public prosecutor.**

he was admitted to the bar. Aunque a veces se dice "fue admitido al ejercicio de la abogacía", que es exactamente lo que la frase significa, es preferible la expresión normalmente usada "se recibió de abogado".

began a career as. La expresión corriente en inglés es **embarked upon a career**: "comenzó a ejercer una carrera", "se inició en la carrera" puesto que se indica cuál es.

practising lawyer. En inglés es muy frecuente este calificativo "abogado en ejercicio" o "abogado que ejerce". Hemos preferido "comenzó a ejercer la carrera de" como pudimos haber dicho "empezó a ejercer como abogado y fiscal". Las fuentes indican que fue a los 24 años cuando empezó a ejercer como **prosecutor** (fiscal), pero no como **public prosecutor**. En realidad, actuó como "abogado fiscal" "in defence of an act of piracy". Sin embargo, el traductor debe ceñirse al texto y dejar las correcciones a otros.

prosecutor. Fiscal o abogado fiscal (el que representa y ejerce el ministerio público en los tribunales).

A los 16 años comenzó a ejercer la carrera de abogado y fiscal.

5. **At nineteen he published a play in Latin, Adamus Exul, rich in baroque imagery and already presaging his vision of a harmonious moral universe to parallel the physical one then being demonstrated by Galileo.**

a play. Es el término más general para designar una obra de teatro. En realidad, las fuentes indican que la obra mencionada era un **drama.**

rich in baroque imagery. "Abundante" o "rico en imágenes". La palabra "imaginería" significa "bordado que imita en lo posible a la pintura", además de "talla o pintura de efigies sagradas".

to parallel: "corresponder al" en el sentido, uno entre varios, de "armonizar con".

armonious: "armonioso" y no "armónico".

then: entonces, a la sazón, en esa época.

A los 19 años publicó un drama en latín, **Adamus Exul**, rico en imágenes barrocas y que ya presagiaba su visión de un universo moral armonioso que correspondiera al mundo físico que a la sazón demostraba Galileo.

6. **Grotius, often referred to as the father of international law, established his reputation as a jurist through, ironically, his treatise on the law of prize and booty (De jure praedae), based on a brief he had prepared in defence of an act of piracy committed in 1604 by the Dutch East India Company.**

reputation: prestigio, fama.

referred to: denominado, designado o conocido como.

law of prize and booty: ley de presas.

a brief: un escrito (pedimento o alegato en pleito o causa). En realidad, fue un **juridical treatise** (un tratado judicial).

Grotius, a menudo conocido como el padre del derecho internacional, estableció su prestigio como jurista, irónicamente, por su tratado sobre la ley de presas **(De jure praedae)**, basado en un escrito que había preparado en defensa de un acto de piratería cometido en 1604 por la Compañía de las Indias Orientales Holandesas.

7. **But it is from this dubious origin that he later expounded on the freedom of the seas in a work published in 1609 as Mare liberum.**

it is from this dubious origin. A partir de esta dudosa fuente (más que "origen").

expounded: expuso, formuló (el tema); significa asimismo "comentó" o "explicó", "se explayó".

Pero a partir de esta dudosa fuente amplió más tarde sus ideas sobre la libertad de los mares en un trabajo publicado en 1609 con el título de **Mare liberum**.

8. **The thinking in his earlier writings was to reach fulfillment in his magisterial "On the Law of War and Peace" (De jure belli ac pacis).**

The thinking was to reach fulfillment. El pensamiento no puede **reach fulfillment** (alcanzar fruición), pero **can be fully developed** (puede desarrollarse plenamente) o "culminar en".

magisterial: magistral; autoritario, absoluto; "obra maestra" parece acertado.

El pensamiento expuesto en sus anteriores trabajos culminaría en su obra maestra "Sobre las leyes de la guerra y de la paz" (De jure belli ac pacis).

9. **Grotius' achievement as statesman and jurist lay not in his originality, but in his rescue from the collapse and confusion of the old order in Europe the legal precepts of the Spanish school of laws, which led back through Aquinas to Agustine.**

Grotius' achievement. Este término en su frecuente traducción de "logro" o "realización", entre otros, no calza bien en este contexto; más en armonía con el texto sería "la grandeza de Grotius".

in Europe the. Debe decir **in Europe of the.**

which led back through Aquinas to Agustine. Literalmente: "que se remontan a San Agustín por intermedio de Santo Tomás de Aquino", es decir, "se remontan a San Agustín y se encuentran en Santo Tomás de Aquino".

lay not in his originality: estriba (reside, radica, descansa) no en su originalidad.

La grandeza de Grotius como estadista y jurista estriba no en su originalidad, sino en haber rescatado del colapso y confusión del viejo orden en Europa los preceptos legales de la escuela de derecho español que se encuentran en Santo Tomás de Aquino y se remontan a San Agustín.

10. **Being careful to quote legal precedent only from antiquity, Grotius based his arguments on natural law: that is, that there is an underlying concept of right applying as a common law to all mankind. For Grotius it had its origin in God's purpose for an ordered and harmonious universe.**

Being careful to quote. Cuidándose de citar.

concept of right. "Concepto de equidad" más que "concepto de derecho".

Cuidándose de citar precedentes legales únicamente de la antigüedad, Grotius basó sus argumentos en el derecho natural: es decir, que hay un concepto de equidad que se aplica como ley común a toda la humanidad. Para Grotius, dicho concepto tenía su origen en el designio de Dios de un universo ordenado y armonioso.

11. **Grotius' influence has been countered by the Positivists, those who recognize as law only decrees that can be effectively enforced.**

those who. Esta combinación de palabras después de Positivistas no es común en inglés. Si se traduce literalmente "los que" o "aquellos que" parecería que entre los Positivistas hay "quienes reconocen" y "quienes no reconocen"; la frase siguiente explica quienes son los Positivistas. Por lo tanto, **those who** equivale a "quienes".

effectively enforced. Expresión inglesa que ha pasado a ser un clisé, pues si algo se aplica o se hace cumplir se aplica o se hace cumplir **realmente** o **efectivamente**; si la ley no puede aplicarse es letra muerta.

La influencia de Grotius ha sido resistida por los Positivistas, quienes reconocen como ley sólo los decretos que realmente pueden hacerse cumplir.

12. **He used his legal mind to conceive a global system in which justice and right, combining natural, human and divine laws would reign supreme.**

He used his legal mind to conceive. "Con su mente legal concibió" resulta mejor que "Usó su mente legal para concebir", que es muy pobre como traducción. El significado de *"combining"* es oscuro; parece indicar "el resultado de la justicia y la equidad". Podríamos decir: Con su mente legal concibió un sistema global en el que prevalecería la justicia y la equidad, combinación de las leyes naturales, humanas y divinas.

13. **His arguments can be claimed to have had a pervasive influence on the thinking of the Founding Fathers, the design of Jay's Treaty and the many attempts to strengthen the ties that bind the international community, including today's United Nations.**

can be claimed. Podría traducirse por "puede sostenerse" o "puede argumentarse", aunque es preferible no emplear este último verbo por ser el sujeto "argumentos". Subrayamos esta construcción típica del inglés: **His arguments can be claimed,** como **His novels can be considered old-fashioned.** (Sus novelas pueden considerarse anticuadas). No es posible traducir literalmente.

a pervasive influence: una influencia omnímoda, una influencia vasta, amplia, generalizada.

to strengthen the ties. "reforzar", "vitalizar" o "estrechar los vínculos".

Puede sostenerse que sus argumentos han tenido una vasta influencia en el pensamiento de los Padres de la Patria, en el diseño del tratado de Jay y en los numerosos intentos por reforzar los vínculos que unen a la comunidad internacional, incluyendo las Naciones Unidas de hoy.

14. **His legal arguments have applied to the freedom of the seas, the rights of neutrals and the obligations of**

belligerents, to peaceful settlement and arbitration, and to the global commons, as we now term them, as well as to human rights and fundamental freedoms, many of which have been, until recently, the commonplace of international intercourse.

peaceful settlement. Forma elíptica, que es preciso ampliar, de "solución pacífica de controversias" **(peaceful settlement of disputes)**.

global commons: (de **common**: terreno comunal); por lo tanto, "patrimonio común de la humanidad", es decir aquellas partes del planeta que pertenecen a la comunidad: Antártida, lecho del mar o espacio.

as we now term them: "como ahora lo designamos" o "llamamos" o "término con el cual lo designamos". El pronombre **them** no tiene antecedente; parece referirse a **commons**, pero si así fuese se originaría una tautología.

until recently: "hasta hace poco", "hasta no hace mucho", "hasta fecha reciente".

the commonplace: "el lugar común" en el sentido de "cosa trivial" o "banal", "trivialidad", no parece ser lo que se ha querido decir: "tema común" o "moneda corriente" o "frecuente" en las relaciones internacionales.

Sus argumentos jurídicos se han aplicado a la libertad de los mares, los derechos de los neutrales y las obligaciones de los países beligerantes, la solución pacífica de controversias y el arbitraje y al patrimonio de la humanidad como ahora lo designamos, del mismo modo que a los derechos humanos y libertades fundamentales, muchos de los cuales han sido, hasta hace poco, el tema común en las relaciones internacionales.

15. **Grotius wrote commentaries on the Old and New Testaments and looked to the day when Catholic and Protestant could be reconciled.**

looked to the day. Sinónimo de **looked forward to the day**: "anhelaba el día", "veía con ansias el día".

could be reconciled: "pudieran reconciliarse" (indica que habían estado separados por divergencias); **to reconcile** significa también "conciliar" en el sentido de armonizar una idea con otra, un texto con otro.

Grotius escribió comentarios sobre el Antiguo y el Nuevo Testamento y veía con ansias el día en que católicos y protestantes pudieran reconciliarse.

16. **His religious conviction led to his eventual undoing and in 1619 he was condemned to life imprisonment.**

eventual. Uno de los más frecuentes "falsos amigos". En inglés nunca tiene el sentido de "contingente" (castellano: "eventual"); significa "a la larga", "con el tiempo".

led him to his... undoing: "Lo llevó a la ruina" o "a la perdición", "lo arruinó".

A la larga, su convicción religiosa lo arruinó y en 1619 fue condenado a cadena perpetua.

17. **After two years, Grotius escaped, but not before he had written some theological tracts and completed his great treatise on international law.**

escaped: huyó, se escapó, se fugó.

great treatise: "gran tratado" resulta pobre; "importante tratado" suena mejor.

Después de dos años se escapó, pero no antes de

haber escrito algunos opúsculos teológicos y completado su importante tratado sobre derecho internacional.

18. **His escape was arranged by his devoted and resourceful wife, Maria, with whom he had seven children and exchanged love letters in Greek.**

His escape was arranged. Si hemos de empezar por el sujeto, tendríamos que buscar un verbo que lo acompañe bien y que no sea "arreglado" u "organizado", ambos posibles traducciones de **arranged**. "Su fuga fue orquestada" sería una solución, pero mejor parece "De su fuga se encargó...".

resourceful wife: "mujer ingeniosa", "con inventiva", "habilidosa".
De su fuga se encargó su ingeniosa mujer María, con quien tuvo siete hijos e intercambió cartas de amor en griego.

19. **Appropriately, the escape took place in the trunk in which Maria sent him books from their library.**

Appropriately. Incorrectamente usado, pues el autor no explica por qué era "apropiado". Habría que traducirlo por "Como era de esperar", "No es extraño que".

the escape took place in the trunk. En vez de "la fuga tuvo lugar en un baúl" es más breve y directo "se fugó o se escapó en un baúl".
Como era de esperar, se escapó en un baúl en el que María le enviaba libros desde la biblioteca de ambos.

20. **Disguised as a mason, Grotius escaped to France and thence to Sweden.**
Disfrazado de albañil, Grotius huyó a Francia y desde ahí a Suecia.

340

21. **There he was appointed Ambassador to France, explaining that it his country had no further use for him, he was at liberty to enter the service of another.**

explaining that. Esta frase es defectuosa y elíptica. No fue nombrado Embajador de Francia **explaining that,** sino que "después de ser nombrado Embajador de Francia explicó que". En inglés habría que reconstruirla para decir: **There he accepted appointment as Ambassador of Sweden to France explaining that...**

it this country: error tipográfico; **it** debe ser **if.**

En este último país aceptó el cargo de Embajador de Suecia en Francia, lo que explicaba diciendo que si su país no tenía otro servicio que ofrecerle, estaba en libertad de servir a otro país.

22. **As a diplomat, Grotius was not an unqualified success. He was diligent but not gifted in deceit or dissembling.**

an unqualified success: "un éxito rotundo".

not gifted in deceit or dissembling: "no diestro en fingir" o "en disimular" o "en hacer la vista gorda", o "no dotado en". En castellano queda mejor "no muy diestro en". En cuanto al fondo, parece extraño que se mencione esta cualidad como requisito para ser Embajador...

Como diplomático, Grotius no fue un éxito rotundo. Era empeñoso, pero no muy diestro en fingir o en disimular.

23. **As Ambassador in Paris, Grotius had to face Richelieu, at the height of his power, to extricate Sweden from an offensive alliance injudiciously made with France.**

As Ambassador in Paris. Para evitar la monotonía en la

construcción y no decir otra vez "**Como** Embajador", se podría variar: "En su calidad de Embajador...".

injudiciously: "insensatamente", "poco sensata", "desatinadamente", "poco juiciosa".

En su calidad de Embajador en París, Grotius debió enfrentarse a Richelieu, en la cúspide de su poder, para sacar a Suecia de una alianza ofensiva insensatamente concertada con Francia.

24. **While in Paris, in 1625 he published the great work De jure belli ac pacis.**

While in Paris: "Mientras permaneció en París", "Durante su estancia" o "permanencia en París".

the great work. En Inglés es defectuoso; debería decir **his great work**. En castellano: "su obra maestra" o "magna".

Mientras permaneció en París, publicó en 1625 su obra magna **De jure belli ac pacis**.

25. **There, he was visited by the young John Milton, who on return to England wrote "Paradise Lost", with its many echoes of Adamus Exul.**

echoes: "reverberaciones", "resonancias", "ecos".

Ahí fue visitado por el joven Milton, quien después de regresar a Inglaterra escribió **El Paraíso Perdido**, con sus innumerables resonancias de **Adamus Exul**.

26. **Grotius died in 1645 in Rostock as a result of a shipwreck in the Baltic.**

as a result of a shipwreck. No es el mejor inglés, ya que no se muere "como resultado o consecuencia de un naufragio", sino en un naufragio; una de las fuentes aclara la situación.

Grotius murió en 1645 en Rostock después de haber naufragado en el mar Báltico.

27. **Let it be said that Grotius leaves a triple legacy. Essentially, his was a vision of a social cosmos where right prevails, if nations as well as individuals comport themselves with restraint and are subject to a common law of mankind**

Let it be said: "Puede decirse".

Essentially: "En lo esencial", "en el fondo".

his was a vision: "su visión fue la de" me parece mejor que "la suya fue una visión de".

where right prevails: "donde la justicia prevalece".

if nations as well as individuals. El condicional "si" en este caso es más bien sinónimo de "siempre que" o "a condición de que" (inglés: **provided that**). Podríamos decir: "siempre que **tanto** las naciones **como** los individuos" o "siempre que las naciones al igual que los individuos", traducción esta última que es preferible cuando hay otros "como" en la misma frase.

restraint: "restricción", "moderación".

Puede decirse que Grotius deja un triple legado. En el fondo, su visión fue la de un cosmos social donde prevalece la justicia siempre que las naciones al igual que los individuos se comporten con moderación y estén sujetos a una ley común de la humanidad.

28. **In his long exile, throughout which he refused commissions that might have injured the trade or interests of his country, he showed that the enduring triumph of a man is how in adversity he endures without triumph.**

En la última frase se juega con las palabras **triumph** y **endures** y hay cierta oscuridad. Una interpretación de **endures without triumph**: "sobrevive a pesar de que no triunfa", o la que le damos a continuación. En su largo exilio, durante el cual rehusó comisiones que podrían haber perjudicado el comercio o los intereses de su país, demostró que el triunfo perdurable de un hombre es su resistencia en la adversidad sin triunfo alguno.

REVISION COMENTADA

Supongamos que se nos ha asignado la tarea de revisar el texto siguiente, algunos pasajes del cual pueden haber sido traducidos del inglés. ¿Qué modificaciones le haríamos y por qué?

EL RIEGO POR GOTEO

1. El informe señala que el riego por goteo **funciona con la aplicación lenta y frecuente de agua** y fertilizantes químicos al suelo, a través de emisores y goteros localizados a intervalos a lo largo de líneas de distribución.

2. El agua escurre sin saturar el espacio poroso del suelo, lo que **mantiene una muy buena condición de aireación y absorción** de agua y elementos nutritivos para las plantas, aun cuando se esté regando.

3. Por otra parte, la alta frecuencia de aplicación evita que la planta sufra déficit interno de agua y reduzca por esto su crecimiento. También el estudio indica que el método sobrepasa el 90% de eficiencia de riego en cualquier condición.

4. Desde el punto de vista económico, para agricultores y técnicos, el riego por goteo representa un método por el cual **se logran** mejores rendimientos y beneficios que por cualquier otro. Esto **se logra** debido a la forma por la cual se distribuye el agua en el suelo y la alta frecuencia del riego.

BENEFICIOS

1. El riego por goteo, según consta en el documento, ofrece **beneficios potenciales** en el uso eficiente del agua, en la respuesta de las plantas, en el manejo de los cultivos y en el aspecto agronómico de éstos.

2. La utilidad que brinda no es exclusiva de este sistema de regadío, sin embargo, la combinación de ellos es única para el riego por goteo.

3. Permite, además, **hacer un uso eficiente del agua reduciendo** al mínimo las pérdidas directas por evaporación. Las respuestas de las plantas parece ser superior al de otros sistemas de riego. Algunas veces se obtienen mejor calidad y mayores rendimientos en el cultivo.

4. Esto se ha demostrado en muchas instalaciones comerciales y experimentales agrícolas, siendo especialmente válido en hortalizadas y huertos frutales.

5. Los fertilizantes que van disueltos en el agua son aplicados directamente a las raíces de las plantas, **lo que conduce también** a un ahorro sustancial en las cantidades anuales que se emplean con otros riegos.

6. También contribuye a reducir el riesgo de ataques de insectos, enfermedades y problemas fungosos.

7. Por último, se indica que este tipo de riego por goteo, **con alta frecuencia**, permite utilizar aguas salinas. De esta forma la concentración de sales en el agua del suelo puede mantenerse baja y evitar daños a las plantas.

Primera parte del texto: comentarios

En el párrafo 1 no parece atinado decir que el riego por goteo "**funciona con** la aplicación de...". En este párrafo se define o explica lo que es ese tipo de riego; en consecuencia, mejor quedaría: "consiste en la aplicación de..." y "con o mediante emisores o goteros", en vez de "a través de emisores...".

En el párrafo 2 diríamos "El agua se escurre... por" y la frase después de "suelo" podría organizarse mejor, pues la redacción es forzada; hay cacofonía y palabras de sobra ("condición de aireación y absorción"). Después de un punto y coma (;) o punto seguido (.) se diría:

> Así se tiene una excelente aireación y las plantas absorben el agua y los elementos nutritivos, aun cuando se esté regando.

En el párrafo 3, mejor que la frase sujeto-predicado resulta: "con la alta frecuencia... se evita...".

El párrafo 4 es bastante monótono debido a la repetición del verbo "lograr" y a "por el cual" y "por la cual" en cada una de sus frases. Solución:

> "... es un método que permite lograr mejores rendimientos y beneficios que cualquier otro. Esto se debe a la forma cómo se distribuye el agua en el suelo y a la alta frecuencia del riego".

Segunda parte del texto: Comentario

En el párrafo 1, eso de "beneficios potenciales" es inglés (**potential benefits**); en castellano diríamos "posibles beneficios" y ¿por qué no "en el aprovechamiento del agua" para salir del "uso eficiente" que se repite también en el tercer párrafo?

En el párrafo 2 hemos colocado punto y coma (;) después de "regadío" y coma (,) después de "sin embargo".

En el párrafo 3, en vez de "hacer uso eficiente del agua" pudo haberse dicho "aprovechar con eficiencia el agua". La falta de concordancia entre sujeto plural y verbo y adjetivo en la segunda frase podría deberse a un error tipográfico. Debería decirse: "Las respuestas parecen ser superiores a **las** de otros sistemas...".

En el párrafo 5 podría mejorarse la frase que se inicia con "lo que conduce..." diciendo: "lo que en comparación con otros tipos de riego permite también un ahorro sustancial de la cantidad anual empleada".

En el párrafo 7 la frase intercalada "con alta frecuencia", que no es muy clara, pareciera referirse a la frecuente aplicación del sistema, pero por su contexto se ha querido decir simplemente "con frecuencia", "a menudo" o "muchas veces" y está mal colocada. No había necesidad del adjetivo "alta"; "mucha" iría bien en este caso. Por lo tanto, habría que decir:

"permite con frecuencia utilizar aguas salinas.
De esta forma, ...".

Si volviéramos a copiar el texto íntegro con las modificaciones indicadas, podríamos apreciar que con la revisión el texto ha quedado más claro y liviano. Se ha hecho el mínimo de correcciones en un texto de contenido práctico cuya finalidad es informar. No se justificarían mayores correcciones.

Examinemos ahora la crónica siguiente del 12 de marzo de 1985, que sin duda es traducción del inglés y que podría llegar a nuestras manos para ser revisada.

El maestro Eugene Ormandy, que fue Director de la Orquesta Sinfónica de Filadelfia durante más de cuatro décadas, hasta su retiro en 1980, falleció hoy a los

85 años en su residencia de esta ciudad, tras una prolongada enfermedad. **El deceso se produjo por una pulmonía** que complicó una deficiencia cardíaca.

Evidentemente, hay palabras de sobra. La última frase pudo haberse abreviado, pues no era necesario insistir en el "deceso". Ya se dijo que "falleció". Después de "enfermedad" bastaba con colocar dos puntos (:) y luego escribir "pulmonía complicada por una deficiencia cardíaca".

Se evita así la repetición del artículo indefinido "una" antes de cada enfermedad, como asimismo el relativo "que" que ha venido a empañar la frase.

En la oración siguiente el autor no eligió bien el sujeto:

La aplicación de las nuevas tecnologías han invadido la educación, la medicina, la economía, la judicatura y la política y, en general, todos los campos de la actividad humana.

El revisor tendrá que eliminar las tres primeras palabras para equilibrar la frase.

EJEMPLOS DE TRADUCCION

En estos ejemplos se aplicarán algunas de las normas o principios ya expuestos, además de otros no antes tratados.

> *A sentimental 19 th century painting by Sir Luke Fildes, showing a physician seated at a child's bedside, is still being reproduced in the calendars mailed by pharmaceutical companies to doctors and graduating medical students.*

Esta frase, de construcción muy frecuente en inglés, es del tipo sujeto-predicado; debemos llegar casi al final de la misma para saber qué pasa con el sujeto. El verbo figura en voz pasiva, lo que es también muy característico del inglés. En castellano anunciaríamos al lector en primer lugar dónde se reproduce el cuadro en cuestión recurriendo para ello a la voz activa:

> En los calendarios enviados por establecimientos farmacéuticos a médicos y a estudiantes de medicina próximos a graduarse se reproduce todavía un cuadro sentimental del siglo XIX, pintado por Sir Luke Fildes, en el que se ve a un médico sentado a la cabecera de un niño.

Para no alargar demasiado la traducción, hemos optado por "enviados" en vez de "enviados por correo"; asimismo, pudo haberse dicho "despachados", pero basta con la forma verbal usada que lleva implícito ese sentido y no agrega gran cosa al texto. Más breve es también "estudiantes de medicina por graduarse" que "estudiantes de medicina a punto de graduarse". Las "compañías farmacéuticas" son más bien "establecimientos" o "empresas".

El pasaje citado ha sido tomado de un artículo titulado *Medicine's second revolution*, de Lewis Thomas. A manera de subtítulo se lee:

It is transforming the profession from an art into a powerfully effective applied science.

Podría traducirse casi palabra por palabra, pero la traducción resultante no sería muy aceptable:

Está transformando la profesión de un arte en una ciencia aplicada poderosamente eficiente.

Habría una versión mejor:

Está transformando la profesión, que era un arte, en una ciencia aplicada poderosamente eficiente.

Podríamos también haber dicho "tremendamente eficiente", aunque el adverbio usado en inglés parece tener un sentido especial.

Otro ejemplo:

As can be seen in figure 1, in the mid-1960s Latin America experienced the beginning of a dramatic rise in its capacity to import foreign goods and services. If 1965 is used as a base, the region's ability to import, before having recourse to compensatory finance, more than doubled in nine years, representing an annual average growth rate of 10.5 per cent in real terms. This is in sharp contrast to earlier years, as

> *capacity grew by less than a third during the period 1951-1965, or at an annual average rate of only 1.75% per cent.*

No sería extraño encontrar una traducción literal de la primera frase en el sentido de que América Latina empezó a experimentar un aumento espectacular de su capacidad para importar... Sin embargo, si se capta bien la idea la redacción mejora, pues lo que aumentó de manera espectacular fue "la capacidad de América Latina para importar". La frase no está bien expresada en inglés y hay en ella un participio —**representing**— que no tiene antecedente. Debería haberse dicho "this represents". Pero el traductor —como hemos subrayado— traduce ideas y no palabras. Se sugiere una versión como sigue:

> Como puede observarse en el gráfico 1, a mediados del decenio de los años sesenta, la capacidad de América Latina para importar bienes y servicios extranjeros empezó a exhibir (mostrar) un aumento espectacular. Si se considera 1965 como base, la capacidad para importar de la región, antes de recurrir al financiamiento compensatorio, se duplicó con creces en nueve años, lo que en términos reales representa una tasa de crecimiento anual promedio de 10.5%. Esto contrasta apreciablemente con los años anteriores, ya que durante el período de 1951 a 1965 dicha capacidad aumentó menos de un tercio, esto es, a una tasa anual promedio de sólo 1.75%.

Después de "gráfico 1", podría también haberse dicho: "a partir de mediados del decenio de 1960".

El párrafo siguiente, tomado del mismo artículo:

> *It is clear from the figure that the major thrust behind the expansion of capacity to import was an*

unprecedented increase in the purchasing power of the region's exports, which came about largely because of an unusually prolonged period of favorable trade prices. But the figure also makes it evident that the rise was attributable in part to an unusually large net inflow of external financial resources. It is to the analysis of this phenomenon that this paper will be devoted.

Habría muchas maneras de comenzar el párrafo: "Del gráfico se infiere"; "El gráfico deja en claro"; "El gráfico permite inferir"; "Se comprueba por el gráfico", "A juzgar por el gráfico está claro", etc.

La frase **the major thrust behind the expansion** en su traducción literal sería "el impulso principal detrás de la expansión" o "tras la ampliación" (de la capacidad para importar); la frase es bastante pintoresca, pero en el contexto y por lo que sigue resulta más atinado "la expansión (de la capacidad para importar) recibió su principal impulso de" (en este caso "del incremento sin precedentes").

expansión. Si bien puede traducirse por "expansión" y por "ampliación", tratándose del complemento "la capacidad para importar" quedaría mejor "aumento" o "incremento"; "expansión" tiene una connotación más bien geográfica o física y lo mismo se aplica en cierto modo a "ampliación" aunque es un término más general.

which came about mainly. Posibles traducciones: "que resultó principalmente de", "que obedeció sobre todo a", "que se debió más que nada a...".

the figure also makes it evident. Podría traducirse por "el gráfico también revela" o "del gráfico también se desprende", "a juzgar por el gráfico, es evidente", "como se observará en el gráfico, es evidente...", aunque estas dos últimas versiones son más largas. La frase última no puede traducirse literalmente. La palabra **paper** en este contexto no significa "papel", como material, sino documento, trabajo, estudio, reseña, análisis, monografía, etc.

El término **thrust** significa también "aspecto", como en "el aspecto central de este libro" (**the main thrust of this book**). Sin embargo, si captamos la idea podremos confeccionar una mejor frase:

> El presente estudio tiene por objeto analizar este último fenómeno.

O bien:

> La finalidad del presente estudio es analizar este último fenómeno.

El párrafo en su conjunto podría, entonces, quedar como sigue:

> El gráfico deja en claro que el aumento de la capacidad para importar recibió su principal impulso del incremento sin precedentes del poder de compra de las exportaciones de la región, que se debió más que nada a un período excepcionalmente prolongado de precios comerciales favorables. Sin embargo, el gráfico también revela que el aumento puede atribuirse en parte a la afluencia neta extraordinariamente importante de recursos financieros externos. La finalidad del presente estudio es analizar este último fenómeno.

Ejemplo de frase en que el sustantivo ha usurpado la función del verbo:

> **The payment of the debt shall be effected semiannually.**
> La deuda se pagará semestralmente (o por semestres).

El castellano ha resultado más conciso que si se hubiera dicho:

> El pago de la deuda se efectuará semestralmente.

Otro ejemplo:

> **Each sampling device has a certain scope in sampling larvae. The best approach is to combine them.**

En la segunda frase del inglés hay una incorrección: ¿A qué se refiere el pronombre **them**? Evidentemente no se refiere a **larvae**, el único plural en la frase, sino a un plural no expresado: **devices.** Por tanto, para traducir la frase al castellano habría que decir "una combinación de dispositivos". La traducción sería entonces:

> Cada dispositivo de muestreo tiene sus limitaciones en el caso de larvas. Lo mejor sería combinar los procedimientos.

Otro ejemplo:

> **A convenient and efficient way to clean syringes is through the use of a syringe cleaner.**

Es frecuente traducir literalmente al castellano este tipo de frases:

> Una manera conveniente y eficiente de limpiar jeringas **es mediante el uso de**...

No cabe duda de que la redacción correcta sería:

> Las jeringas pueden limpiarse de manera conveniente y eficaz con un limpiador de jeringas (o con un dispositivo especial).

Muy frecuente es la frase con el verbo **to require** (exigir):

> **A sound decision on X requires a knowledge of the nature of the mortality.**
> Una decisión atinada sobre X exige el conocimiento de la naturaleza de la mortalidad.

Aunque en su traducción literal la idea es clara, la redacción tiene algo de forzada. Es un buen ejemplo de frase sujeto-predicado que pudo estructurarse mejor:

> Para adoptar una decisión atinada sobre X es preciso conocer la naturaleza de la mortalidad.

Como en la frase anterior, la traducción literal de la frase siguiente no expresaría adecuadamente la idea:

> **The look on his face and his tone of voice made it evident that the task was not a welcome one.**
> A juzgar por la expresión de su rostro y el tono de su voz, la tarea no era evidentemente de su agrado.

Se ha evitado la construcción: X hacía evidente que Y.

La siguiente frase se repite a menudo en documentos bancarios:

> **A borrower shall not be eligible under the program unless...**

y se enumeran los requisitos. Si se traduce palabra por palabra, resulta una frase debilucha, negativa y pesada por el hecho de que "unless" exigirá subjuntivos en la lista de condiciones: "Un prestatario no podrá ser admitido con arreglo al programa, a menos que...". En cambio, la frase queda más liviana si se redacta como sigue:

Para ser admitido en virtud del programa, el prestatario debe satisfacer las condiciones siguientes: (se inicia la enumeración con el infinitivo).

La frase siguiente tiene más de una traducción:

This money will not take you very far.
Este dinero no le alcanzará para mucho.
Con este dinero no podrá hacer mucho.

En su traducción literal "Este dinero no te llevará muy
lejos" o "No irás muy lejos con este dinero" podría
prestarse a ambigüedad y confundirse con la frase que
denota distancia (**This money will not get you very far**).
Otro ejemplo de frase sujeto-predicado:

**The use of water for the irrigation of crops requires
proper land preparation and careful control over the
quality of the water applied.**

Si el agua se ha de dedicar al riego, es preciso preparar
adecuadamente el terreno y controlar bien la calidad
de la que se vaya a utilizar.

Se ha evitado el empleo de dos adverbios terminados en
-mente; por eso se ha dicho "controlar bien" en lugar de
"controlar cuidadosamente" que no era el más adecuado.
Ejemplo de frase sencilla, pero mal redactada:

**The number of enterprises set up during the year is
approximately 300, of which two-thirds belong to
Haitian entrepreneurs.**

Durante el año se crearon unas 300 empresas, de las
cuales las dos terceras partes pertenecen a empresarios de Haití.

APÉNDICE 4

EJEMPLOS DE REDACCION

Supongamos que los ejemplos siguientes sean traducción al castellano del idioma inglés. ¿Qué podemos decir de la redacción?

> Una serie de leves sismos se registró hoy cerca de Nápoles y en una isla frente a Sicilia, causando pánico entre los residentes, dijeron fuentes oficiales. Agregaron que no hubo víctimas ni daños. El Instituto Nacional de Geofísica dijo que registró un temblor de magnitud 3,5 en la escala de Richter.

Analicemos. La redacción de las dos primeras frases podría mejorarse. En la primera habría que suprimir el verbo "se registró". Bastaría con decir "Una serie de leves sismos causó pánico hoy cerca de Nápoles...". La frase "entre los residentes" es superflua, pues se subentiende que el pánico hizo presa entre ellos. Se empezaría con "Según fuentes oficiales", con lo cual se suprimiría la forma verbal "dijeron". En la tercera frase no es muy elegante "dijo que registró" ¿Por qué no "anunció haber registrado..."? El texto quedaría así:

> Según fuentes oficiales, una serie de leves sismos causó hoy pánico cerca de Nápoles y en una isla frente a Sicilia, pero no hubo víctimas ni daños. El Instituto Nacional de Geofísica anunció haber registrado un temblor de magnitud 3,5 en la escala de Richter.

En la noticia siguiente acerca del hundimiento de un submarino soviético se explican las causas como sigue:

> Las causas del accidente no son conocidas, pero pudo haberse tratado de un problema mecánico no vinculado al reactor nuclear, a partir del hecho de que no se encontraron indicios de contaminación radiactiva.

Parece más razonable indicar que no hubo indicios de contaminación radiactiva antes de la conclusión de que pudo haberse tratado de un problema mecánico...

La frase "a partir del hecho" no viene al caso. Una mejor redacción sería:

> Las causas del accidente no son conocidas, pero, por no haberse encontrado indicios de contaminación radiactiva, pudo haberse tratado de un problema mecánico no vinculado al reactor nuclear.

También pudo haberse empezado con:

> "Se desconocen las causas del accidente, pero..."

Cuando se emplean figuras literarias o de estilo —imágenes, símiles, metáforas— hay que tener cuidado de no desvirtuar la comparación implícita, por ejemplo, o lo que se espera que ellas reflejen. Estas figuras o "elegancias del pensamiento", como se las ha llamado, traen consigo modificaciones ideológicas de la palabra y se usan para matizar la prosa, para insuflarle nuevo aliento. Conviene sí no forzarlas a expresar lo que no pueden significar, o sea no pedir peras al olmo. Esto se ha hecho al decir "el marco detrás del centralismo", ya que generalmente "el marco" encierra algo, o algo va dentro de un marco... Tal vez se quiso decir "el marco dentro del cual se sitúa el centralismo". Cabrían también otras interpretaciones. Algo semejante ha pasado en el ejemplo siguiente, donde se pide "a los caminos" que "cumplan sus propósitos":

> "... para definir caminos que puedan cumplir los propósitos declarados del Gobierno Militar de llevar al país hacia el pleno restablecimiento a la Democracia".

Es evidente que los caminos son incapaces de "cumplir" algo que no sea su propia función. Lo que debió haberse dicho es "caminos que conduzcan a los propósitos" o "caminos que permitan cumplir los propósitos", etc. Podría haberse sustituido "caminos" por "vías" o "rutas"; en vez de "conduzcan" pudo emplearse "lleven", salvo que más adelante figura el infinitivo "llevar". En el ejemplo siguiente, destacaremos un error frecuente: el empleo de dos infinitivos que se rigen por distinta preposición.

> Se pretende desarrollar en el alumno su capacidad para comprender y participar de los cambios científicos y culturales que ocurren en el mundo.

El verbo "comprender" exige complemento directo, es decir, "comprender los cambios científicos" y el verbo "participar" requiere la preposición "de", o "en". Por lo tanto, habría que decir:

> "... su capacidad para comprender los cambios científicos y culturales que ocurren en el mundo y participar en ellos".

Otro ejemplo semejante:

> La Universidad así concebida como una comunidad de creatividad y crítica **inserta en** y **originada de** una sociedad es parte del patrimonio humano social.

Lo subrayado equivaldría en inglés a **included in** y **originating from a society.** En una situación como ésta, en que hay más de un verbo con preposiciones distintas, el inglés recurre a un malabarismo que consiste en agregar después de cada verbo la preposición que corresponda y en la que verbo y preposición quedan, como si fuera, a la espera hasta encontrarse con el complemento que viene después del último participio y con el cual todo calza maravillosamente.

Este juego tan refinado no es permitido en castellano; en este idioma tendríamos que decir:

"... inserta en una sociedad y originada de ésta..."

(Aunque "inserta y originada en" se justifica).

Si hubiera un tercer participio: "motivada por...", la solución podría ser:

"... inserta **en** una sociedad, originada **de** ésta y motivada **por** la misma.

En este breve titular es evidente que la redacción deja bastante que desear:

Los especialistas de América Latina tuvieron cuatro días de intenso trabajo buscando respuestas contra el subdesarrollo.

La frase "tuvieron cuatro días de trabajo" revela pobreza lingüística y es un buen ejemplo de abuso del verbo "tener". La forma verbal, más el gerundio, es decir "tuvieron cuatro días buscando" configura algo imposible: "tener cuatro días buscando algo". "Tener cuatro días... para buscar algo" sería aceptable, pero esto no refleja el sentido de la frase. Lo que se ha querido decir es "dedicaron cuatro días a la búsqueda de...". Además, no se buscan respuestas contra algo, sino respuesta a un interrogante o soluciones a un problema. Al parecer, se quiso decir algo así:

> Los especialistas de América Latina dedicaron cuatro días de intenso trabajo a buscar soluciones a los problemas del subdesarrollo.

O bien:

> En cuatro días de intenso trabajo, los especialistas de América Latina buscaron soluciones a los problemas del subdesarrollo.